ECON Sachbuch

Zum Buch:

Der 8. Mai 1945 – ein Schicksalstag für Europa und die Deutschen vor allem. »Mensch, der Krieg ist aus.« Millionen haben diesen Satz gedacht, geflüstert, geschrien. Angst und Hoffnung, Erleichterung und Sorge, Freude und Verzweiflung beherrschten die Menschen. Und Jahrzehnte danach? Wollen und können die Überlebenden sich noch erinnern? Die Herausgeber Werner Filmer und Heribert Schwan haben über hundert bekannte Frauen und Männer gebeten, ihre Erinnerungen an diese Tage aufzuschreiben, Empfindungen, Hoffnungen und Ängste noch einmal abzurufen aus einer weit zurückliegenden Zeit, die die Gegenwart jedoch bis heute überschattet.

Dabei ist ein spannendes und zugleich erschütterndes Dokument vom Ende des Zweiten Weltkriegs entstanden, erlebte und erzählte Geschichte, die auch Menschen in ihren Bann schlagen wird, die diesen Tag nicht erlebt haben.

Die Autoren:

Werner Filmer, geb. 1934, war stellvertretender Chefredakteur beim Westdeutschen Rundfunk und leitete dort die Programmgruppe »Inland« (Fernsehen). Seit 1992 ist er Programmbereichsleiter »Kultur und Wissenschaft« (Fernsehen).

Dr. Heribert Schwan, geb. 1944, war lange Zeit politischer Redakteur beim Deutschlandfunk. Seit 1989 arbeitet er beim Westdeutschen Rundfunk als Fernsehreporter und Redakteur.

Ihre gemeinsam verfaßten Politikerbiographien, u. a. über Richard von Weizsäcker, Helmut Kohl, Hans-Dietrich Genscher, Johannes Rau und Oskar Lafontaine, gehören zu den Standardwerken der politischen Information, von denen einige Bestseller wurden. Zuletzt erschienen die Bücher »Opfer der Mauer« (1991), »Wolfgang Schäuble« (1992) und (als Herausgeber) »Begegnungen mit Richard von Weizsäcker« (1993).

Werner Filmer/Heribert Schwan (Hrsg.)

Mensch, der Krieg ist aus!

Zeitzeugen erinnern sich an den 8. Mai 1945

ECON Taschenbuch Verlag

Lizenzausgabe

2. Auflage 1995
© 1995 by ECON Taschenbuch Verlag GmbH, Düsseldorf
© 1985 by ECON Verlag GmbH, Düsseldorf und Wien
Umschlaggestaltung: Theodor Bayer-Eynck, Coesfeld
Titelabbildung: © Ullstein Bilderdienst
Druck und Bindearbeiten: Ebner Ulm
Printed in Germany
ISBN 3-612-26190-8

Inhaltsverzeichnis

»Mensch, der Krieg ist aus«, diesen hoffnungsvollen Seufzer haben vor fünfzig Jahren viele Menschen ausgestoßen. Der 8. Mai 1945 hat sich für manche tief eingekerbt. Vergangenheit wurde von Zukunft getrennt. Der blutigste Krieg, der je Europa überzog, war zu Ende. Und es war ein Krieg gewesen, den die Deutschen entfacht hatten. Viele waren mitgezogen, mitgelaufen. Sie hatten Hitler geglaubt, waren ihm gefolgt, hatten mitgeholfen, seine Herrschaftsansprüche umzusetzen.

Als der Krieg aus war, erlebten sich die Deutschen in Verzweiflung, Hoffnungslosigkeit und Ängsten. Vor allem aber auf den Trümmern ihrer Sehnsüchte. Sie befanden sich im selbstgeschaffenen Chaos. Millionen waren gestorben oder verstümmelt worden. Millionen waren in den Konzentrationslagern der Nazis umgebracht worden. Fast alle Deutschen waren mitschuldig geworden. Jedenfalls haftete ihnen eine Vergangenheit an, die aus dunklen Trieben und leichtfertigen Träumen bestand.

Hitler hatte einen Weltbrand entfacht und verbrannte Erde hinterlassen. Viele Deutsche fühlten sich am 8. Mai 1945 wie erlöst; viele fühlten sich befreit; viele aber konnten immer noch nicht verstehen, was eigentlich geschehen war. Deutschland war endgültig besiegt, niedergekämpft worden. Die Menschen standen vor den Toten, vor den Gefallenen, sie erkannten, was sie alles verloren hatten.

In diesem Buch kommen Zeitzeugen zu Wort, die all das erlebt haben: Hitler mit seinem religiös-mythischen Nimbus, aber auch deutsche Trümmer und Ruinen, vor allem aber die Nachwehen der Massentollwut. Sie erlebten Haß und Widerwillen, Hoffen und Bangen. Und darüber schreiben die Zeitzeugen dieses Buches. Versagen, Schuld und vertane Chancen begleiten viele Frauen und Männer, die an diesem Buch, das vor zehn Jahren zum erstenmal erschien, mitgearbeitet haben. Es wurde zum wichtigsten Zeugnis einer neugewonnenen, neugeschenkten Freiheit.

Werner Filmer/Heribert Schwan   Köln, Frühjahr 1995
Herausgeber

Befreiung

Nein, von der Kapitulation des Deutschen Reiches bin ich kaum berührt worden. Den achten Mai 1945 habe ich in einem Forsthaus in den oberpfälzischen Wäldern erlebt. Da hatte ich meine Befreiung schon drei Wochen hinter mir. Die Nachricht vom Ende des Krieges erreichte mich – ohne Radio, Telefon und Strom – erst zwei Tage später.

Aber Mitte April, als die US-Army auf dem Truppenübungsplatz Grafenwöhr einrückte, da war alles in einem: Frieden, Gefangennahme, Freiheit, Angst, Jubel. Ein unvergeßlicher Tag. Das kam so: Ich hatte – als Obergefreiter zum persönlichen Stab des Generals von Grolman gehörend – den General nach Grafenwöhr begleitet. Er war, weil er sich weigerte, Budapest zu verteidigen, zur »Führerreserve« versetzt worden und zu seiner Familie gefahren, die von Schlesien nach Grafenwöhr geflohen war. Er hatte dann noch das Kommando über eine Division übernehmen müssen, mich aber in Grafenwöhr zurückgelassen – mit einem Zivilanzug im Schrank. So war ich an jenem Morgen, als die ersten amerikanischen Panzer am Haus vorbeirollten, mit seiner Frau und ihren Kindern allein. Ich sehe mich noch am Fenster stehen: schon in Zivil und beim Rasieren. Da sind sie – Gott sei Dank, endlich. Es gab keinen deutschen Soldaten mehr auf dem Platz. Aber die Männer, also auch ich, wurden auf Lastwagen geladen und zu einer Sammelstelle gefahren.

Was nun geschah, würde das Neue Testament ein Wunder nennen. Ich legte dem Interrogationsoffizier meine zivile Kennkarte vor. »Albertz – Albertz« – fragte er und in fließendem Deutsch: »Sind Sie verwandt mit dem Superintendenten von Spandau? Ist er noch in Haft?« Als ich dies bejahte, schickte er die hinter mir stehenden Männer und einen GI hinaus und ließ mich setzen.

Wir kamen in ein langes Gespräch über die Bekennende Kirche. Er fragte mich aus, wohl auch, um meine Glaubwürdigkeit zu überprüfen. Dann: »Wo wollen Sie jetzt hin?« Er fragte nicht einmal, ob ich Soldat sei. Ich brauchte nicht zu lügen. Ich erhielt einen Zettel: »To whom it may concern. H. Albertz is allowed to go to Altneuhaus.« Unleserliche Unterschrift. Nicht einmal ein Stempel. Am nächsten Morgen war ich wieder bei den Grolmans. Wäre ich an den Offizier nebenan geraten, hätte ich mindestens ein Jahr in Frankreich arbeiten müssen als POW.

Wir haben geheult wie die Kinder. Befreiung. Unbeschreibliche Befreiung. Jedenfalls keine Kapitulation.

WOLFGANG ABENDROTH
Der Tag der Kapitulation

Daß Adolf Hitlers Nachfolger endlich die Waffen niedergelegt und die Konsequenz aus der politischen und militärischen Lage gezogen hätten, erfuhr ich »offiziell« dadurch, daß ein befreundeter juristischer Kollege und ich »amnestiert« und aus dem Militärgefängnis eines britischen Kriegsgefangenenlagers in Ägypten entlassen wurden, um zur Siegesfeier der Lagerkommandantur gebracht zu werden. Übrigens hatten wir uns – weit weg von der Heimat – schon seit Monaten gewundert, daß Hitler, dann Dönitz den Kampf noch weiterführen konnten, obwohl jeder Deutsche längst begriffen haben mußte, daß dieser Krieg – spätestens seit Stalingrad und erst recht nach der westalliierten Landung – entschieden war.

Wir beide – der spätere Präsident des Landessozialgerichts von West-Berlin und ich – waren nach unserer Flucht aus der Armee des Dritten Reiches zu den griechischen Partisanen britische Gefangene geworden. Ich, weil die Briten von der Elas, zu der ich nun gehörte, meine Auslieferung erzwungen hatten.

Wir hatten uns in einem »antifaschistischen« Cage (Kriegsgefangenenlager) in der Wüste kennengelernt und damit begonnen, andere frühere Angehörige des Bewährungsbataillons 999 durch Kurse systematisch darauf vorzubereiten, nach dem Zusammenbruch der Hitler-Diktatur richterliche und Verwaltungspositionen einnehmen zu können. Unser Ziel war, den Staatsapparat des Dritten Reiches und diejenigen, die ihm gedient hatten, zu ersetzen und dessen stillschweigende Restauration nach dem Ende des Zweiten Weltkriegs unnötig zu machen. Das hieß offiziell »Lageruniversität«. Der – übrigens südafrikanische – Lagerkommandant hatte davon erfahren. Er wollte uns zwingen, deutsche akademische Lehrer aus dem »Offiziers-Cage« des Kriegsgefangenenlagers – ausnahmslos frühere Mitglieder der NSDAP – an unserer »Lageruniversität« mitwirken zu lassen. Das hatten wir beide in voller Übereinstimmung mit unseren Hörern – und früheren Zuchthaus- und »999«-Kameraden – abgelehnt. Der politische Sinn dessen, was wir leisten wollten, die personelle Vorbereitung einer deutschen politischen Demokratie nach dem Ende des verbrecherischen Regimes im Deutschen Reich, wäre verlorengegangen. Die Antwort des Lagerkommandanten auf unsere Entscheidung war unsere Verurteilung zu Gefängnis wegen »Befehlsverweigerung«. Der gleiche Lagerkommandant hatte übrigens noch an Hitlers Geburtstag 1945 den »normalen« Kriegsgefangenen-Cages im Lager eine gemeinsame Feier gestattet.

Jetzt also – mit der Kapitulation – war seine bisherige Art und Weise der »demokratischen reeducation« nicht mehr haltbar. Wir wurden deshalb aus der Haft wieder in die normale Kriegsgefangenschaft entlassen. Wir waren nun wieder »frei« hinter den Stacheldrahtzäunen innerhalb der ägyptischen Wüste.

Nach Hause kamen wir alten politischen Zuchthäusler des Dritten Reiches, die auf dem Umweg über »999« in die Nähe der Ufer des Bittersees und des Suezkanals gekommen waren, deshalb noch lange nicht. Viele der kriegsgefangenen Offiziere, die akademisch vorgebildet waren, wurden nach und nach in die britische Besatzungszone entlassen – in vielen Fällen auch dann, wenn sie einst Parteigenossen gewesen waren –, weil man dort doch »Fachleute« brauchte, um Schulbetrieb, Justiz und Verwaltung in Gang zu bringen. Wir blieben in Ägypten und kamen erst im November und Dezember 1946 zurück nach Europa und in die deutschen Besatzungszonen. Für den Aufbau eines zuverlässig antikommunistischen Bildungsapparats und einer antikommunistischen Justiz und Verwaltung waren halt »akademisch gebildete Fachkräfte«, die Widerstandskämpfer im Dritten Reich gewesen waren, offensichtlich nach der Meinung des Headquarter Middle East nicht geeignet.

Aber immerhin – die Kapitulation, die wir schon lange Jahre zu erkämpfen gesucht und spätestens seit Monaten erwartet hatten, war nun »amtlich«, und wir waren wieder zu normalen Kriegsgefangenen aufgestiegen.

HELMUT ALLARDT
Nun ist's passiert!

»Also – nun ist's passiert«, rief mir ein Kamerad zu, während ich, über der Reling lehnend, schweigend in die Ferne starrte. »Nun haben auch die letzten deutschen Einheiten bedingungslos kapituliert. Jetzt ist der Krieg wirklich vorbei.« Wir standen an Deck der »Drottningholm«, des schwedischen Kreuzfahrtdampfers, den die Reichsregierung gechartert und Mitte April 1945 nach Istanbul entsandt hatte, um die in der Türkei ansässigen Deutschen und die bis zum August 1944 tätigen und sodann internierten deutschen Diplomaten heimzuholen.

Die Meldung setzte den Schlußpunkt unter eine Reihe von

Nachrichten, mit denen – auf Raten – die totale Kapitulation »Großdeutschlands« angekündigt worden war. Die erste und wichtigste Meldung – wir hörten sie am 30. April auf der Reede von Algier – war die vom Tode Hitlers im Bunker der Reichskanzlei. Die Nachricht vom Ende des Blutvergießens war also für uns, die Passagiere der »Drottningholm«, zwar neu, aber keineswegs überraschend. Wir empfingen in der Türkei seit Jahren Radionachrichten aus aller Welt. Außerdem hatte die türkische Führung dem deutschen Botschafter Franz von Papen bereits seit Jahren – erstmalig 1942! – prophezeit, daß sich Deutschland keine Chancen mehr ausrechnen könne, den Krieg zu gewinnen. Und hier hatte bei mir und wohl den meisten anderen unserer Weggefährten auf der »Drottningholm« das – mit jedem Tage quälender werdende – Grübeln begonnen: Was bedeutet für Deutschland dieser von Hitler, also von Deutschland, vom Zaun gebrochene Krieg? Weshalb hat das deutsche Volk Hitler akzeptiert, als längst klar war, in welches Unheil unser Land und jeder einzelne von uns geraten wird?

»Gewonnen«, sagte meine Mutter eines Abends zu dem gerade von Berlin nach Ankara zurückgekehrten Gestapo-Beamten, der unserer Botschaft als politischer Aufpasser beigeordnet war, »gewonnen ist dieser Krieg erst dann, wenn Hitler und seine Ratgeber und Willensvollstrecker aufgehängt sind.« Der Beamte war so anständig und vermutlich inzwischen auch politisch so geläutert, daß er diese Bemerkung für sich behielt.

Adolf Hitler als Sieger dieses Krieges – das war die eine Seite der Medaille! Hitler – der Zerstörer Europas, der Mörder ungezählter Millionen – als Sieger? Dieses Trauma hatte sich mit seinem Tod bereits in Nichts aufgelöst. Aber nun? Mit erhobenen Händen stand Großdeutschland, wehrlos und umzingelt, vor den Siegern des Zweiten Weltkrieges. Sie alle hatten zu verschiedene nationale Interessen, um untereinander einig zu sein. Aber am achten Mai 1945 fanden sich alle zusammen in der Entschlossenheit, dem blutigen Eroberungsdurst Deutschlands einmal für immer ein Ende zu bereiten.

Was also kommt auf Deutschland zu – was also erwartet uns

bei der Rückkehr in die Heimat? Einige Kostproben waren ja
bereits bekanntgeworden, die am achten Mai rasch wieder prä-
sent wurden: Da war der von dem Amerikaner Henry Morgen-
thau bei der zweiten Konferenz von Quebec im September
1944 vorgelegte Plan, Bergbau und Industrie in Deutschland
dem Erdboden gleichzumachen und damit die Mitte Europas
in ein Agrarland zu verwandeln. Roosevelt und Churchill fanden den Plan gut und unterzeichneten ihn. Das war uns bereits
bekanntgeworden.

Was und wieviel davon in die Wirklichkeit umgesetzt und
weshalb er schließlich »relativiert« wurde, konnten wir damals
ja nicht ahnen. Dann hatte es Anfang 1945 die erste Jalta-Konferenz zwischen Roosevelt, Churchill und Stalin gegeben, in
der neben einer grundsätzlichen Einigung über eine Teilung
Deutschlands die Einteilung in vier Besatzungszonen beschlossen wurde – eine Maßnahme, die vor allem diejenigen an Bord
in Schrecken versetzen mußte, die aus dem von den Sowjets
oder von Polen bereits besetzten Teil Deutschlands stammten
und dorthin zurückwollten. Nicht alles, was damals in Jalta
oder sonstwo beschlossen war, wurde natürlich bekannt, aber
auch die Nachricht vom alsbaldigen Kriegseintritt der Sowjetunion gegen Japan hatte, als sie im Januar/Februar 1945 publik
wurde, ihre Wirkung getan.

Blitzartig erhellte sie die erdumspannende Dimension dieses
Krieges und machte bereits Monate vor der deutschen Kapitulation deutlich, daß selbst danach das Blutvergießen weitergehen und zwangsläufig auch Auswirkungen auf Europa und
Deutschland haben würde.

Das Radio an Bord der »Drottningholm« sorgte Stunde um
Stunde in allen gewünschten Sprachen für Unterrichtung über
alle Geschehnisse und ihre jeweilige Interpretation rund um die
Welt, und die Fahrgäste wurden immer schweigsamer. Man
ging spazieren, beobachtete aufmerksam die großen und kleinen Wellen und Schaumkronen, die auf das Schiff zurollten,
und versuchte zu ergründen, was das Schicksal und die nunmehr von den Befehlen der Sieger abhängige Schiffsleitung mit

uns vorhatten. Liverpool und Göteborg sollten noch angelaufen werden, aber die Dauer des dortigen Aufenthalts und die Ankunft im Heimathafen Kiel stand in den Sternen.

Und doch – selbst auf diesem fast absoluten Tiefpunkt der Gefühle und Gedanken gab es Lichtpunkte!

Der eine war die Hoffnung, daß die Ungewißheiten sich nun doch bald klären, die Vernunft der Sieger die Oberhand über die Rache gewinnen, daß die Angst um die Lieben daheim nun doch bald einem glücklichen Wiedersehen weichen – kurzum, daß alles nicht so schlimm kommen werde, wie es die Nachrichten der letzten Jahre, der letzten Monate und Wochen und die »Abschluß«-Meldungen am achten Mai voraussehen ließen.

Das war – »selbst am Grabe pflanzt er die Hoffnung auf . . .« – der eine Lichtpunkt. Der andere war weniger emotional und diffus, aber realitätsbezogener: Die Herrschaft Hitlers, die Herrschaft des Nationalsozialismus gehörte endgültig der Vergangenheit an! Hitler war tot, und die Schar seiner – sorgfältig ausgewählten – Kumpane war vermutlich ebenfalls tot oder untergetaucht. Einer der erbärmlichsten Schandflecke deutscher Geschichte war ausgelöscht, wenn auch mit unermeßlichen Opfern und keineswegs nur dank deutschen, sondern dank des Widerstandes der von Hitler selbst auf den Plan gerufenen Feinde.

Zwölf Jahre zuvor – angesichts von mehr als sechs Millionen Arbeitslosen und einer Republik, die sich nicht zuletzt durch eigene Schuld an den Rand des Abgrundes regiert hatte – hatte man ihm mit viel Vorschußlorbeeren die Macht eingeräumt. Aber anstatt der erhofften Rettung der Weimarer Demokratie kam ihr totaler Sturz in den Abgrund und die totale Diktatur – kam eben das, was erst mit der totalen Kapitulation sein vorläufiges Ende fand. Diese zwölf Jahre andauernde Entwicklung – waren die Deutschen davon überrascht worden?

Diese ebenso törichte wie zutiefst beschämende Frage beschäftigte mich nicht nur seit 1933, sondern ganz besonders und spontan am achten Mai, am Tag des Zusammenbruchs. Wie konnte es geschehen, daß man einen Mann wie Adolf Hitler, der sich längst als Verbrecher entlarvt hatte, nicht längst beseitigt hatte? Wie konnte es geschehen, daß die Mordnacht des 30./31. Juni und ersten Juli 1934, in deren Verlauf die Werkzeuge Hitlers und Himmlers ungezählte Menschen ermordeten, am zweiten Juli von Staats wegen als »Staatsnotwehr« und als »rechtens« legalisiert und damit zu den Akten gelegt wurde!

Wie konnte es geschehen, daß das deutsche Volk die »Macher« an seiner Spitze nicht sofort zur Verantwortung zog, sondern parierte und jedermann hoffte, noch einmal davonzukommen? Wie war es möglich, daß alle Institutionen, die zur Kontrolle der Machthabenden in einem Staatswesen und vor allem in der Demokratie vorhanden sind, Gewehr bei Fuß oder strammstanden, als sie erfuhren, was im eigenen Vaterlande vor sich geht? Wie konnte es geschehen, daß das für äußere wie innere Sicherheit oberste Organ des Staates, das Militär, alles schweigend zur Kenntnis nahm und sich – erfreut über die Ausschaltung der SA-Konkurrenz – auf den Anstifter und Vollstrecker des Massenmordes vereidigen ließ? Wie war es möglich, daß dieser Eid später ausreichte, um dem gleichen Manne in einen sinnlosen Krieg zu folgen, der ihn begonnen hatte und ihn immer mehr ausweitete. Seine von keinerlei Skrupel oder Fachkenntnis getrübten Befehle wurden auch dann widerstandslos ausgeführt, wenn sie voraussehbar nichts weiter als Hekatomben von Toten erforderten.

Sein Befehl, Millionen friedlicher Europäer jüdischer Rasse auszurotten, um die »deutsche Rasse« – was immer das sein mochte – nicht von ihnen zu »verunreinigen« – dieser Befehl war uns an Bord der »Drottningholm« erst bruchstückhaft zur Kenntnis gelangt und in seinem Ausmaß weder begriffen noch für glaubwürdig gehalten worden. Aber auch hier mußte es ja an den Schaltstellen der Macht Tausende geben, die diese Maßnahme zwar ablehnten, sie aber trotzdem durchführten, weil sie einem längst entlarvten notorischen Verbrecher Gehorsam geschworen hatten.

War das also die so berühmte preußische Disziplin? Gehörte

es also auch zu dieser Disziplin, ohne lautstarken, über ganz Deutschland hallenden Widerspruch zuzusehen, wie nach dem 20. Juli 1944 diejenigen Kameraden, die unter Einsatz ihres eigenen Lebens entschlossen waren, dem Treiben ein Ende zu machen, auf abscheulichste Weise von einer Gruppe, die sich als »Volksgericht« bezeichnete, verhört, verurteilt und dann hingerichtet wurden?

Und schließlich, wo blieben die Hüter des Glaubens, der katholischen wie der evangelischen Kirche, deren Pflicht und christlicher Auftrag es ihnen geboten hätte, gegen das nationalsozialistische Regime, seine Vertreter und seine Schandtaten aufzutreten?

Aber nicht nur die Kirche, nicht nur die Institutionen – so meinte ich damals und meine ich heute –, wir alle, die wir das Dritte Reich mit offenen Augen und Ohren durchlebt haben, wir alle sind von der Geschichte schuldig gesprochen, diese systematische Kriminalisierung der Führung des Deutschen Reichs und seiner Außen- wie Innenpolitik geduldet zu haben. Erst als britische, amerikanische, französische, sowjetische Panzer durch deutsche Lande rollten, war es mit dem Nazi-Spuk vorbei. Stalin als Sieger über Deutschland? Noch wenige Jahre zuvor Komplize Hitlers bei der Aufteilung Polens, der Okkupation der Baltischen Staaten und ihrer Integration in sowjetisches Hoheitsgebiet . . . Kam nun nach dem Hitler-Regime das Terrorregime Stalins über Ost-Deutschland? Die Deutschen hatten jedenfalls – die Panzer der Feinde machten es überdeutlich – ihre eigene Hoheitsgewalt über die deutschen Lande verspielt – im Osten so wie im Westen. Für wie lange? Für immer?

Deutschland ist »wieder einmal ein schweres Schicksal auferlegt« worden, so hieß es gelegentlich im Radio. Das traf wohl zu, dachte ich mir, während die »Drottningholm« sich Liverpool näherte und Polizei mit einigen Haftbefehlen an Bord kam. Nur: »Auferlegt« ist, dachte ich, wohl nicht das richtige Wort: Wer zwölf lange Jahre den erbarmungslosen Naziterror toleriert hat, sollte sich nicht beklagen, wenn eines Tages die Rechnung präsentiert wird.

JEHUDA BACON

Ich wollte es überleben

Von den verschiedenen Orten, die ich seit meinem zwölften Lebensjahr kennengelernt hatte, war das Lager in Gunskirchen bei Steyr nach Theresienstadt, Auschwitz und Mauthausen der letzte. Im April 1945 waren wir für einen Fußmarsch ausgesucht worden und kamen aus dem überfüllten Mauthausen im Mai in Gunskirchen an. Aus verschiedenen Anzeichen und Gerüchten wuchs unser Glaube an die Befreiung von Tag zu Tag, von Stunde zu Stunde. Zu den Hinweisen, die auf ein nahes Ende des Krieges hindeuteten, gehörte der Wechsel des Lagerpersonals: Die kriegstauglichen SS-Leute wurden an die Front geschickt. Statt ihrer kamen ältere Jahrgänge und Pensionäre, die uns zum erstenmal wie Menschenwesen behandelten.

Ich war damals, nach dreijährigem KZ-Aufenthalt, krank. Mein Körper versagte. Ich fühlte meine letzten Kräfte schwinden und fürchtete zu sterben. Aber ich wollte »es« überleben. Ich träumte davon, allein, unbewacht und ohne Angst zu leben. Mich satt zu essen, an drei bis vier rohen Kartoffeln! An gekochte Kartoffeln dachte ich nicht, das ging über meine Phantasie.

Eines Morgens im Mai war die Wachmannschaft verschwunden. Sie war vor den heranmarschierenden Amerikanern geflohen. Wir stürzten uns, ausgehungert, wie wir waren, auf die »Speisekammern«. Aber ich war zu sehr vom Fieber geschwächt, um etwas zu erbeuten oder das Erbeutete zu verteidigen.

Nicht weit von Gunskirchen war ein Bahngeleise. Dort stand ein von den Deutschen zurückgelassener Zug. In einem der Waggons entdeckte ich Arzneimittel. Wir versorgten uns mit abletten. Ich selbst schluckte Antidurchfallmedikamente.

Ich beschloß damals, mit einem Freund in die Schweiz zu flüchten. Wir wußten von der Schweiz nur, daß dieses Land vom Krieg verschont geblieben war. Aber wie eine Flucht in die Tat umzusetzen wäre, darüber machten wir Fünfzehnjährigen mit unseren kahlgeschorenen Köpfen uns keine Gedanken.

Wir marschierten Richtung Schweiz. Stießen zu unserem Glück nach einiger Zeit auf einen Vortrupp amerikanischer Soldaten. Auf unsere Bitte nach »bread« sagten sie bedauernd, daß das Auto mit dem Proviant erst am nächsten Tag eintreffen werde. Sie könnten uns nur »cookies« aus ihren eisernen Rationen anbieten. Wir hatten wieder Glück! Unseren geschwächten Mägen wurde deshalb nicht zuviel an hochgradig konzentrierten Nahrungskonserven zugetraut. Denn vielen anderen der plötzlich befreiten Häftlinge wurde häufig ihr erster nahrhafter Imbiß auch ihre Henkersmahlzeit.

Einer der amerikanischen Soldaten, dem es aufgefallen war, daß wir fieberten und uns nicht mehr auf den Beinen halten konnten, brachte uns in das Staatliche Spital nach Steyr. Dort erholten wir uns nach vierzehn Tagen halbwegs.

Ich begrüße den Plan, einigen Zeugen jener dunklen Zeit das Wort zu geben; denn jede Erinnerung an den achten Mai 1945 ist gleichzeitig ein Nachruf auf jene Millionen meiner Mitinsassen, die den Tag der Befreiung nicht mehr erlebten. Vielleicht helfen solche Aussagen auch, den Haß in der Welt einzudämmen.

ARNULF BARING
Mein dreizehnter Geburtstag

Der achte Mai 1945 – ein strahlender, warmer, wunderschöner Tag – war mein Geburtstag, der dreizehnte. Ich war damals nicht weit jenseits der Berliner Stadtgrenze, im Süden der Stadt. An sich hatten wir in den Westen gewollt, meine Mutter und die Geschwister, weil es zu Hause nicht mehr auszuhalten war, seit die Russen da waren. Irgendwie, zu Fuß, wollten wir los, über die Elbe, zu den Amerikanern, wo es viel besser sein sollte. Mit einem kleinen Handwagen, vollgepackt, unser Kleinkind obendrauf – so waren wir verzweifelt auf und davon. Nach knappen zwei Kilometern hatte ein russisches Fahrzeug dieses Wägelchen gestreift und dabei zwei seiner Räder zerbrochen. Rasch entmutigt gaben wir die Flucht auf. Bei Bekannten in der Nähe, in einem Siedlungshaus in Klein-Machnow, das ihnen auch nicht gehörte, fanden wir Unterschlupf.

Im Kellergeschoß wohnten sowjetische Soldaten; diese bodenständigen russischen Bauern gingen nur ungern in obere Stockwerke, denn sie waren das nicht gewohnt. Deshalb waren Freunde in Charlottenburg im vierten Stock fast unbehelligt geblieben, während es uns zu Hause, neben der Einfallstraße, in einer Erdgeschoßwohnung, übel erwischt hatte. Also im Keller wohnten die Russen, zu ebener Erde ein Altkommunist, Rolf Helm, der später in der DDR zu hohen Würden kommen sollte, mit seiner Frau, die in großer Sorge um ihre Söhne war; später stellte sich heraus, daß beide zuletzt noch gefallen waren. Im Dachgeschoß wohnten wir, meine Mutter und drei Kinder, seit vierzehn Tagen. Mein Vater war vermißt.

Die Russen feierten. Wir wußten nicht, warum an jenem achten Mai gerade besonders laut, besonders fröhlich, wußten nichts von Keitels Unterschrift jenes Tages in Karlshorst. Unsere Russen sangen, einer spielte Harmonika. Sie saßen auf und neben ihrer »Stalinorgel«, die furchterweckend im Garten stand, aber seit mehr als einer Woche eine malerische Attrappe geworden war. Der Krieg in Berlin war zu Ende, das schien sicher. »Gitler« und »Gebbels« waren, wie unsere russischen Mitbewohner immer wieder freudestrahlend versicherten, offenbar tot.

Schon Anfang Mai, als es stille geworden war in der Luft über uns, auch kein Donner aus der Ferne mehr zu hören war, hatte das große Feiern begonnen. Es wurde uns immer dann unheimlich, wenn einer von unseren Russen doch noch irgendwo Alkohol aufgetrieben hatte. Würden sie im Keller bleiben? Oder würden sie, gefährlich angeheitert, doch diesmal hinaufsteigen: »Frau, komm«?

Sie buken friedlich, wie jeden Tag, in ihrem Keller Plinsen,

Blindishi, wie sie sie nannten, gaben auch meinem Bruder, der anderthalb Jahre alt war und überhaupt von ihnen verwöhnt wurde, welche ab. Aus großen olivgrünen Büchsen mit amerikanischer Beschriftung – ich bekam eine erste Vorstellung davon, daß die USA also nicht nur Waffen und Lastkraftwagen an die Sowjetunion geliefert hatten – füllte der russische Koch große Brocken weißen Fetts in seine brutzelnde Pfanne, die er hinterher mit einem großen Taschentuch auswischte, das er wegwarf. Meine Mutter wusch es, faltete es zusammen und schenkte es mir zum Geburtstag, zusammen mit Peter Roseggers »Schriften des Waldschulmeisters«, die sie vor Monaten schon gekauft und für mich aufgehoben hatte. Bücher waren so ziemlich das einzige, was in unserer alten Wohnung niemand angerührt hatte.

Jener achte Mai ist für mich in der Erinnerung der erste Tag, an dem sich das Gefühl verbreitete, daß alles vorüber sei – wirklich, endgültig. Der Einmarsch der Russen war zunächst keine Befreiung gewesen, ganz im Gegenteil Inferno, Hölle, völliges Ausgeliefertsein; er schien der Beginn allgemeinen Untergangs. Die ersten Tage nach der Eroberung werden ein Alptraum sein, solange ich lebe.

Aber inzwischen waren die Russen schon vierzehn Tage da. Es gab ab und an wieder Brot zu kaufen, von Lebensmittelkarten war die Rede, also einer Neueröffnung der Geschäfte, und in der Praxis unseres guten, alten, bescheidenen Hausarztes war nach turbulenten zwei Wochen wieder Ruhe eingekehrt. Statt der Hunderte von verzweifelten Frauen, denen er unermüdlich Tag und Nacht mit Trost und Tat beigestanden hatte, saß da jetzt wieder eine Normalkundschaft mit ihren üblichen Krankheiten, die Dr. Erdmann gut noch nebenher betreuen konnte. Denn weil er schon vor 1933 Kommunist gewesen war, wie sich zu allgemeinem Erstaunen herausstellte, war er mittlerweile Bürgermeister geworden. Bald sollten sogar die Schulen wieder anfangen, was wir Kinder allerdings ziemlich voreilig fanden. Als man dann im Juni tatsächlich wieder mit dem Unterricht begann, muß es für Vorübergehende ein eigentümlicher, beängstigender Eindruck gewesen sein, uns Schulkinder auf dem Hof zu beobachten: Wir waren so schwach vor Hunger, daß wir in den Pausen nur herumhockten, auf dem langen Mäuerchen saßen, uns unterhielten – einfach keine Kraft zum Rennen, zum Spielen, zum Toben hatten.

Überhaupt der Hunger. Ich habe damals nicht geglaubt, daß ich irgendwann im Leben wieder satt werden würde. Als wir fluchtartig die Wohnung verließen, hatten andere, wahrscheinlich Nachbarn, unsere bescheidenen, kostbaren Vorräte an sich genommen – zwei Säcke Kartoffeln, zehn Pfund Zucker –, »organisiert«, wie man damals beschönigend sagte, denn »stehlen«, das taten nur Russen, die übrigens das Eingemachte, das ihnen ohne Zucker zu sauer war, ärgerlich an die Wand geworfen hatten; noch heute trauere ich den Kirschen nach, die so schwer zu bekommen gewesen waren.

Wir lebten wochenlang von angesengtem Korn, das ich zusammen mit Rolf Helm aus den brennenden Teltower Speichern geholt und viele Stunden lang in der Kaffeemühle gemahlen hatte. Dazu gab es halbverbrannten Sirup, eine dickliche Soße mit schwarzer Rußschicht, von dem wir eine Waschwanne voll, ebenfalls aus Teltow, herangeschleppt hatten.

Das größte Geschenk im Rückblick: die Stille. Wenn ich an den frühen Mai 1945 denke, dann zunächst an diese Lautlosigkeit, diese Ruhe, Tag für Tag unter einem blauen Himmel. In der warmen Sonne sitzen und kaum noch Angst haben. Kein Verkehr, natürlich keine Autos (der russische Verkehr vom Süden her in die Stadt spielte sich, nachdem die Kampftruppen mit ihren Panzern erst einmal vorbeigerauscht waren, im wesentlichen mit Panjewagen ab), keine S- oder U-Bahn, keine Behörden, keine Polizei, Dienststellen, Ämter, Schulen, nichts. Nur zu Fuß, trotz des Hungers, alle Wege. Zu den Tanten nach Charlottenburg, das war mit Ach und Krach an einem Tag zu schaffen, immer in der Hoffnung, dort etwas zu essen zu bekommen. Zu Freunden nach Pankow, da mußte man übernachten. Solche Fernexpeditionen wagte man natürlich erst, nachdem sich die Lage beruhigt, die Kämpfe aufgehört, die schüchterne Hoffnung ausgebreitet hatte, wir würden nicht getötet, nicht verstümmelt, nicht verschleppt, nicht von Mutter und Geschwistern getrennt zur Zwangsarbeit nach Rußland, nach Sibirien, verfrachtet werden. Eine unendlich friedevolle Stille, trotz allen Elends – das ist der hervorstechendste Eindruck in der Erinnerung.

Natürlich, denn dieser Frieden über dem Land war der vollkommenste Gegensatz zu dem sich ständig steigernden, bösartigen Lärm der Zeit vorher. Jede Nacht Luftangriffe. Das Pfeifen und Jaulen der Bomben, das jeder von uns, der damals schon lebte, auf immer im Ohr hat; unwillkürlich zieht man noch in der Erinnerung den Kopf ein. Dumpf dann die Detonationen, anhaltend laut das hilflose Bellen der Flak. Einige lange, schwere Tagesangriffe: Hunderte von Kondensstreifen der anfliegenden, meist amerikanischen Geschwader am blaßblauen Himmel über uns (denn auch im Frühjahr 1945 war das Wetter meist strahlend schön); ihr tiefes, lähmendes Brummen, das den Boden leise beben ließ. Der Himmel rot in den Nächten; Flächenbrände in der Innenstadt, die sich ungehindert ausbreiteten, derer niemand mehr Herr werden konnte. Man glaubte, die Hitze bis zu uns draußen zu spüren. Qualvoller, sich lang hinziehender Untergang einer Stadt, die unter unseren Augen zu Staub zerfiel, zu Geröllbergen.

Angst vor den Russen, Angst bei vielen Luftangriffen, Angst vor dem Ende. Ich konnte mir damals in Berlin die Niederlage nur als Vernichtung, als Vertreibung, Verschleppung oder Erschießung vorstellen, als Nacht ohne Morgen, als das Ende schlechthin, für uns alle. Ich klammerte mich daher – ja an was eigentlich? Wie wohl Hitler auch an irgendwelche Wahnsinnshoffnungen, an irgendeine wunderbare Errettung. Und eigentlich klammerte ich mich an Worte. Noch heute habe ich ganze Passagen von Führerreden aus dem Januar 1945 im Ohr . . .

Mein Glaube, mein Vertrauen – oder Hitlers Macht über mich, wenn man will – erlosch ganz plötzlich, kurz darauf, von einem Tag auf den anderen: mit dem 13. Februar in Dresden. Ich war dort bei meiner Großmutter gewesen – in einem Mietshaus in der Johannstadt, Elisenstraße, im Keller, der wie ein Schiff im Sturm auf dem Meere schwankte. Durch den brennenden Hausflur hinaus, kurz ehe das Gebäude zusammenstürzte und alle Mitbewohner begrub, 73 Menschen, über brennende Balken und Geröllberge im Feuersturm, mit angesengten Haaren und vom Rauch erblindet, vor die Stadt getappt, im Morgengrauen, an ungezählten Toten vorbei, Verkohlten, Erstickten, Halbverbrannten, nachdem wir den Rest der Nacht im leeren Becken des Neptunbrunnens auf dem Striesener Platz verbracht hatten, immer von neuem in den Schlamm tauchend, um nicht vom Funkenflug in Brand zu geraten, uns auch gegen die Hitze zu schützen. Ich mochte lange begriffsstutzig gewesen sein. Von da an wußte ich: Es war aus. Wenn dies möglich war, ungehindert, in einer Nacht, dann war das Ende nahe.

Es quälte sich hin indessen, bis endlich Schluß war. Die Russen zögerten mit ihrer letzten Offensive, mit einer Entscheidungsschlacht um Berlin, die längst entschieden war, ehe sie anbrach. Unser Leben damals schien uns eine Gnadenfrist. Ich weiß noch genau, daß wir uns in der Schule weigerten, im März und April, Aufgaben zu erledigen, zu lernen, weil es uns sinnlos, zwecklos schien: war der Krieg erst beendet, war alles Gelernte, davon war jeder überzeugt, für die Katz.

Dann ging es plötzlich ganz schnell. Am 16. April setzte der »Iwan«, wie man damals sagte, über die Oder. Ununterbrochen war seither das dumpfe Grollen des Schlachtenlärms zu hören, immer lauter, immer näher. Tieffliegerangriffe, während man vor den Geschäften in langen Schlangen wartete. Bis zuletzt kein Plündern, aus Angst; vor der Droste-Schule sah ich eine Frau angebunden, mit einem Schild um den Hals, daß sie Volksgenossen bestohlen habe. Später sah man erhängte Soldaten, gleichfalls beschildert: Sie seien zu feige gewesen, ihre Familien zu verteidigen. Es half alles nichts mehr. Am 24. April abends, der letzte Soldat im Keller: »Wir ziehen ab. In einer halben Stunde werden die Russen dasein.«

Keiner spricht. Größere Angst als in jener unendlichen Wartezeit zwischen den Fronten, den Welten, kann niemand haben vor dem Ungewissen, dem allzu Gewissen. Die ersten Soldaten, Kampftruppen, das ging noch. Aber dann. Wo sich bloß verstecken? Wohin mit den Müttern, den Schwestern? Nirgendwo ist es sicher; am ehesten noch, wenn wir dicht beisammenbleiben. Mehrfach hinter das Haus geführt, an die Wand gestellt, mit erhobenen Armen, es wurde gezielt, auch geschossen, am Ohr vorbei. Warum? Weil man mich, so lang, wie ich war, für einen Soldaten hielt? Oder auch nur, weil ich keine Uhr herauszurücken hatte? Oder eben nur so? Wer weiß.

Plünderung. Lastwagen, übervoll beladen, auch Möbel, Radios, Stehlampen; es quillt aus Koffern und Kisten heraus. Auf der Straße verstreut Pelzmäntel, Fotoapparate, ganze Bündel großes Geld. Niemand hebt etwas auf. Warum auch? Es wird ja doch gleich wieder weggenommen werden, und der Gipfel der Sinnlosigkeit wäre es, die Geldscheine einzusammeln, die jetzt, nach dem Ende unserer Zeitrechnung, nur noch bedrucktes Papier waren – dachte ich, dachten alle. Niemand ahnte, daß dieses Buntpapier, das noch nach Wochen draußen herumlag, bis 1948 weitergelten würde.

Tote deutsche Soldaten auf den Straßen. Erst nach Tagen wage ich mich während der Dämmerung in die Nähe, um ihre Papiere an mich zu nehmen, damit man später die Familien benachrichtigen kann. Viele, viele Selbstmorde in der Nachbarschaft; die Leichen werden – es ist ja Sommer – in den Gärten vergraben. Keineswegs nur Nazis. Viele Verzweifelte. Unser Zahnarzt mit der ganzen Familie; das Gift reichte nicht, die jüngsten Kinder wurden in der Badewanne ertränkt. »Vom unübersehbaren Heer unserer Toten« sprach Pfarrer Heyden – oder war es Dilschneider? – beim ersten Gottesdienst in der fensterlosen, dachlosen, bis auf die Straße vollen Paulus-Kirche. Und doch spürte man an diesem Tage leise Hoffnung in der groß gewordenen Gemeinde, Dankbarkeit für wunderbare Errettung, Vertrauen auf einen neuen Anfang.

Es war ein neuer Anfang, war wie am Anbeginn der Welt, als die Erde wüst und leer gewesen war, Gott aber das Licht von der Finsternis geschieden, Pflanzen und Tiere und zuletzt den Menschen geschaffen hatte. Wir alle waren neue Menschen, wie neu geboren. Wer es nicht miterlebt hat, kann es kaum nachfühlen, wer es miterlebt hat, kann es nicht vergessen. Er wird sein Leben lang immer wieder eine stille Dankbarkeit für all die Dinge empfinden, die nachfolgenden Generationen selbstverständlich scheinen, aber es eben doch keineswegs sind: nie Hunger haben, immer ein richtiges Dach über dem Kopf, warm anzuziehen und Heizung im Winter, ein ruhiger Nacht-schlaf, Frieden, Sicherheit, kein amtlich geförderter Fanatismus – gar nicht zu reden von dem, verglichen mit damals, einfach märchenhaften Wohlstand, der inzwischen über alle bei uns im Westen gekommen ist. Kein einziger von uns hätte das, was wir erreicht haben, vor vierzig Jahren auch nur entfernt für denkbar gehalten.

Wir sollten uns vielleicht ab und an unseres Ausgangspunk-tes erinnern, jener Stunde Null einer neuen Schöpfung. Denn wer das Gestern vergißt, verdrängt, wird vom Ansturm der Ge-genwart übermäßig verwundbar. Ihm fehlen Vergleichsmaß-stäbe. Sorgen und Ängste des Tages werden dann übermächtig.

JITZHAK BEN-ARI
Beginnt jetzt die Welt von neuem?

Die strahlende, blendende Sonne über Jerusalem weckt mich zeitig in der Frühe. Überflüssig, einen Wecker zu stellen, auch wenn man – wie ich – erst in den kleinen Stunden der Nacht in das kleine Zimmer, mein Zuhause im Zentrum der Stadt, zu-rückgekehrt ist.

Ich bin sofort hellwach. Die letzten Tage waren aufregend. Eine Mischung von Hoffnung, Erwartung und Freude erfüllte das Denken der jüdischen Bevölkerung und der britischen Sol-daten im Lande Israel, in Palästina. Das sich nähernde Ende des Krieges in Europa veranlaßte die Engländer, in Jerusalem Vorbereitungen zu treffen, dieses Ereignis gebührend zu feiern.

In die Freude der Juden, besonders der aus Europa stammenden und derer, die dort Familie hatten, mischten sich Sorge und bange Vorahnung: Würde man nun endlich die volle Wahrheit darüber erfahren, was dem jüdischen Volke von der nationalsozialistischen Gewaltherrschaft und ihren Handlangern in den besetzten Gebieten angetan worden war?

Ich stelle mein Radio an, höre aber nur noch die letzten Worte des Sprechers. Meine Morgentoilette ist rasch beendet, und ich laufe zum nächsten Kiosk, um mir Zeitungen zu kaufen. Die »Palestine Post« berichtet: »Der Krieg in Europa ist beendet!«

Eine Welle ungeheuren Glückes durchflutet meinen Körper. Beginnt jetzt die Welt von neuem? Viele Fragen stürmen auf mich ein: Werde ich jetzt meine Eltern wiedersehen? Als Fünfzehnjähriger sah ich sie zuletzt in Wien. Mein Vater, der in den Konzentrationslagern Dachau und Buchenwald inhaftiert war? Und mein fünfundsiebzigjähriger Großvater, von dem ich gehört hatte, daß er nach Polen verschleppt wurde? Meinen Onkel, Tanten, Vettern und andere Verwandte und Freunde?

Jetzt ist nicht die Zeit für schmerzende, wehmütige Gedanken! – Für acht Uhr bin ich mit »Erwin«, meinem Kommandanten in der Untergrundbewegung, verabredet. Er erwartet mich im ATARA, dem populärsten Caféhaus von Jerusalem. Während wir unseren Morgenkaffee trinken, höre ich von ihm, daß die britische Mandatsmacht in Palästina jetzt nach Ende des Krieges in Europa ihre Bemühungen verstärken wird, die jüdische Freiheitsbewegung zu unterdrücken, um zu verhindern, daß die Flüchtlingswelle aus Europa sich nunmehr zu einer Masseneinwanderung entwickelt. Es sei Aufgabe aller Hagana-Mitglieder, jeden dieser Schritte zu erkennen und zu verhüten. »Heute wird gefeiert«, meinte er, »da werden sicher die Ämter der britischen politischen Polizei weniger bewacht sein . . .«

In den nächsten Stunden versammele ich einige Kameraden, die wie ich Mitglied in der Hagana sind, vor allem aber auch jüdische Polizisten, die freien Zutritt zum Polizeihauptquartier haben, und verständige auch Verbindungsleute über Unterhaltungslokale, in denen sich die Briten abends vergnügen werden. Die Besitzer der Lokale werden heute gerne bereit sein, besonders großzügig mit dem Alkohol umzugehen. Auch Damen werden nicht fehlen, um die Atmosphäre aufzulockern ...

Dann habe ich eine Stunde Zeit und lese wieder in der »Palestine Post«: »Britische und amerikanische Militärkreise berichten aus Deutschland, daß der Widerstand gegen Hitler sehr begrenzt war und fast ohne jedes militärische Gewicht.«

Meine Gedanken schweifen: Kein Nero, kein Inquisitor war so grausam, wie es Deutsche waren. Wie war so etwas möglich? Ein zivilisiertes Volk, das Volk der Dichter und Denker folgte fast ohne jegliche Gegenwehr dem Weg des amtlichen Mordens? Jedes andere Volk wird sagen können, daß es sich selber befreit hat. Die Franzosen, die Tschechoslowaken und Polen wehrten sich im bewaffneten Widerstand und im Aufstand gegen die Nazis – nur Deutschland mußte von anderen besiegt, besetzt, befreit werden ...

Zog hier nicht die Gefahr herauf, daß dieses große und tatkräftige Volk zur Bewältigung seiner Vergangenheit in Zukunft an Komplexen leiden würde, und würden diese nicht zu einer Ablehnung des eigenen historischen Scheiterns führen? Könnten deshalb zukünftige Generationen nicht auf revolutionäre Ideologien stoßen, um sich vom Versagen ihrer Väter zu distanzieren oder zu versuchen, dieses Kapitel deutscher Geschichte zu vergessen?

Die »Palestine Post« schrieb mit Recht: »Der Sieg der Alliierten ist auch der Sieg des deutschen Volkes, das von der Tiefe der Schmach zurück zur Menschlichkeit finden muß.«

Und wir Juden, denen mehr Böses als allen anderen Opfern dieses Krieges angetan wurde, müssen den Glauben an das Gute im Menschen zurückfinden, auch in Beziehungen zu Deutschen. Dies wird nicht leicht sein, dachte ich. Damals beschloß ich – einundzwanzigjährig –, meinen bescheidenen Beitrag in diesem Sinne zu leisten.

An diesem Abend sang, tanzte und feierte ich mit vielen jungen Leuten auf dem Zion-Platz in Jerusalem. Gegen Mitternacht brachte man der Hagana die Schlüssel zum Geheimschrank der britischen Polizei. Die Liste der von der Kolonialmacht gesuchten Untergrundkämpfer wurde abgeschrieben. Um deren Verhaftung zu verhindern, warnen wir noch während dieser Nacht mehr als zweihundert Kameraden.

Der Kampf um eine jüdische Heimat geht weiter . . .

ERNST BENDA

Im Hafen Egersund

Den achten Mai 1945 habe ich in einem kleinen Ort in Südnorwegen, dem Hafen Egersund bei Stavanger, erlebt. Ich war dort seit Ende 1944 als Funker auf einem Schnellboot der Kriegsmarine eingesetzt. Das bevorstehende Kriegsende hatte sich seit Wochen deutlich abgezeichnet, nicht nur aus den Nachrichten über die Lage in Deutschland, die ich über die mit dem Marineoberkommando in Kiel bestehende Funkverbindung ständig aus erster Hand und ohne propagandistische Verfärbung erhielt.

Treibstoffmangel und die völlige Luftüberlegenheit des Gegners machten der Marine auch in Norwegen die Erfüllung ihres Auftrages kaum noch möglich. Die Kämpfe auf See fanden – meist in der Nacht – bis zum letzten Tage statt, und die Wochen vor dem Kriegsende waren für die wenigen noch einsatzfähigen Fahrzeuge der Marine mühsam und verlustreich.

Der Frühling 1945 war in Norwegen nach einem eisigen Winter plötzlich gekommen; im Mai blühte das Land und zeigte sich von seiner schönsten Seite. Das Ende des Krieges kam nicht als ein Zusammenbruch, in dem sich die militärische Ordnung auflöste. Die deutsche militärische Befehlsstruktur bestand noch lange nach dem achten Mai fort; erst im Juni kamen die ersten englischen Einheiten in den kleinen, von unseren Booten und den Resten einer aus dem Kanal gekommenen U-Boot-Flottille belegten Hafen.

So bedeutete die Kapitulation nicht Auflösung der Ordnung oder Übergang in die Gefangenschaft, sondern war Beginn einer mehrwöchigen Zeit des Wartens und der Ungewißheit über die weitere Entwicklung.

Auch nach Bekanntgabe der Kapitulation konnte ich mich wie alle anderen deutschen Soldaten in dem Ort frei bewegen. Bei den Norwegern herrschte eine festliche, fröhliche Stimmung, die aber zu keinerlei Feindseligkeit gegenüber den deutschen Soldaten führte. Sie konnten ungefährdet durch die Straßen gehen und wurden ignoriert, so als seien sie schon nicht mehr da, aber nirgends in dem Ort kam es zu Äußerungen der Ablehnung oder gar zu tätlichen Auseinandersetzungen. Dies kann damit zusammenhängen, daß die insgesamt noch zahlreichen, gutausgerüsteten und in intakter Ordnung befindlichen deutschen Kräfte sich gegen einen Angriff gut hätten wehren können, aber auch während der letzten Phase des Krieges war das Verhältnis zwischen deutschem Militär und norwegischer Zivilbevölkerung gewiß nicht herzlich, aber nach meinem Eindruck ziemlich unproblematisch und jedenfalls frei von Zwischenfällen.

So war für uns etwa zwanzig meist junge Leute im Alter um zwanzig Jahre auf unserem kleinen Boot das Ende des Krieges eher das Ende eines Abschnitts als ein dramatischer Zusammenbruch; es war die Fortsetzung einer Entwicklung, die nicht überraschend kam. Erleichterung, daß die nächtlichen Einsätze zu Ende waren, verband sich mit dem Gefühl der Ungewißheit über die Zukunft. Ich kann mich an niemanden in meinem Umkreis erinnern, der dem zu Ende gegangenen nationalsozialistischen Regime nachtrauerte, aber auch nur an ganz wenige, die sich der historischen Bedeutung des Tages bewußt waren. Einige von uns empfanden die angeordnete Ersetzung der Reichskriegsflagge durch eine obskure Signalflagge als Nationalitätskennzeichen als kränkend, aber damit war kaum ein Bekenntnis zu dem Hakenkreuz verbunden, das nun nicht mehr geführt wurde.

Meine persönlichen Empfindungen unterschieden sich kaum

von denen meiner Kameraden. Wohl hatte ich stärkere persönliche Gründe, das Ende des Nationalsozialismus als Befreiung und Anlaß zu Hoffnung zu verstehen. Mein Vater war aus rassischen Gründen seit einiger Zeit in einem Zwangsarbeitslager bei Magdeburg inhaftiert. Ich hatte keine Nachricht über sein Schicksal. Erst viel später erfuhr ich, daß er mit Hilfe eines SS-Bewachers hatte fliehen und zu Fuß nach Berlin gelangen können, wo er eben vor den anrückenden sowjetischen Truppen eintraf. Von meinen übrigen Familienangehörigen wußte ich nur, daß sie im März 1945 in ihrem Berliner Haus ausgebombt, aber wahrscheinlich am Leben waren; seither war jeder Kontakt abgerissen.

So waren es eher persönliche Gefühle, die mich in jenen Tagen beschäftigten, vor allem die Ungewißheit über das Schicksal meiner Eltern und Geschwister, die sich nun irgendwo in der sowjetisch besetzten Zone befinden mußten, ohne daß auf absehbare Zeit die Hoffnung bestand, sie erreichen zu können, auch die Frage, wie es nun mit mir weitergehen sollte. Fürs erste waren wir wohlversorgt, hatten weder Hunger noch andere Not zu leiden und hatten – wie sich herausstellte, noch für ein ganzes Jahr bis zur schließlichen Entlassung im Jahre 1946 – unsere Unterkunft und eine gewisse Ordnung. Der Übergang in eine neue Zeit vollzog sich so ganz undramatisch und in kleinen Schritten. Dies mag dazu beigetragen haben, daß die Erkenntnis der großen und grundsätzlichen Veränderung nicht im Mai 1945, sondern erst viel später kam.

TONY BENN

Die Nacht, als der Krieg zu Ende ging

Am Tag, als der Krieg zu Ende ging, machte ich gerade Urlaub in Israel, damals noch Palästina. Als Pilot der Royal Air Force und gerade erst zwanzig geworden, hatte ich aus Alexandria einen jüdischen Reiseveranstalter in Jerusalem angeschrieben, ob ich ein Kibbuz besichtigen könnte. Dieser schickte mich und zwei weitere Piloten nach Shaar Hagolan am Galiläischen Meer, wo wir einige Tage verbrachten. Die Briten waren zu jener Zeit Mandatsmacht in Palästina und bewachten die Grenzen, um den Fluß jüdischer Immigranten, der jede Nacht aus Syrien hereinströmte, einzudämmen.

Am Tage der Kapitulation des Dritten Reiches waren wir drei mit einem Boot auf das Meer hinausgerudert und hatten bis zu unserer Rückkehr keine Nachrichten gehört. Am achten Mai nachmittags hörten wir von der endgültigen Zerschlagung des Faschismus. In dieser Nacht wurde ein größeres, ausgelassenes Fest gefeiert. Wir tanzten und sangen Lieder. Die deutschen, österreichischen, italienischen und spanischen Juden feierten mit den Juden aus den benachbarten arabischen Ländern, tanzten ihre Nationaltänze. Erleichterung war zu spüren und Freude. Auf der Bühne sagte einer in hebräisch: »Und nun werden uns die drei englischen Offiziere einen Nationaltanz vorführen.« Natürlich versuchten auch wir, das Beste zu geben. Auch wenn unser Auftritt mehr ein Torkeln war, wurde unser Tanz dennoch von den Anwesenden mit freundlichem, herzlichem Lachen und Klatschen aufgenommen.

Was dieser Nacht mehr Bedeutung gab und was für mich erstaunlich, ja verblüffend war, kam eigentlich in der Atmosphäre oder Stimmung der Versammelten zum Ausdruck. Völlig entspannt, ohne jeglichen Haß und mit dem Blick nach vorn, in die Zukunft gerichtet, fest entschlossen, die Welt in Frieden wiederaufzubauen. Es schien, als ob jeder – aber auch jeder – dem Militarismus und dem Krieg den Rücken kehren und eine neue Welt in Zusammenarbeit mit unseren russischen und amerikanischen Verbündeten aufbauen wollte.

Einige Tage später fuhr ich nach Ägypten und dann nach Großbritannien zurück. Seitdem beschäftigte ich mich mit Politik. Fünf Jahre nach der Kapitulation wurde ich ins Parlament gewählt und gehöre diesem seit mehr als vierunddreißig Jahren an.

Die Verbindung zum damals besuchten Kibbuz habe ich aufrechterhalten. Ich bin sogar zweimal dort gewesen, um Freunde wiederzusehen und Erinnerungen aufzufrischen, vor allem aber die Erinnerung an die eine Nacht, als der Krieg zu Ende ging.

Heute kommt es mir vor, als ob der Faschismus eine Wiederkehr erfahren könnte und all das, wofür wir gekämpft und was wir erreicht haben, durch Atomwaffen zerstört werden könnte.

Kurt Biedenkopf
Der Krieg war zu Ende, und wir lebten

Für uns war der Krieg am achten Mai 1945 schon zu Ende. Wir lebten damals in Mitteldeutschland, drei Kilometer nördlich von Merseburg, in Sichtweite eines alten, an der Saale gelegenen Schlosses, am südlichen Rande des Ortes Kopau. Er ist Standort des Buna-Werkes, das mein Vater in den dreißiger Jahren mit aufgebaut hatte und dessen Leiter er war. Die Wichtigkeit seiner Aufgabe – das Werk produzierte künstlichen Gummi – hatte ihn uns zu Hause erhalten. So war die Mutter mit ihren drei Söhnen nicht wie viele andere auf sich alleine gestellt.

Unser Haus hatte mit allen anderen in der Siedlung den Krieg unversehrt überstanden. Man munkelte, die Alliierten hätten das Werk schonen wollen. Nur so konnte man sich erklären, daß es uns nicht so gegangen war wie der schrecklich zerstörten Stadt Merseburg.

Am achten Mai war ein schöner, versöhnlicher Frühlingstag. Daran erinnere ich mich noch besonders lebhaft. Ich war mit meinen fünfzehn Jahren zu jung gewesen, um noch zur letzten Reserve eingezogen worden zu sein, aber alt genug, die Schrecken des Krieges, auch der letzten Tage, begreifen zu können.

Als die alliierten Truppen Ende April unseren Ort erreichten, wurde Merseburg von Wahnsinnigen zur Festung erklärt und von Alten und Kindern zusammen mit einer Handvoll Soldaten verteidigt. Amerikanische Panzer standen im Feld vor unserem Haus und schossen in die rauchenden Trümmer der Stadt. Trotzdem kann ich mich weniger an Angst als an die Neugier erinnern, mit der wir uns den fremden Soldaten und ihrem Kriegsgerät näherten. Die Angst war von uns gewichen, als feststand, daß uns amerikanische Truppen vor den russischen erreichen würden.

Als die Amerikaner vor der Tür standen, fühlten wir uns sicher. Niemand konnte uns zwar sagen, was nun geschehen werde. Aber die Erleichterung ist mir noch heute gegenwärtig, mit der ich feststellte, daß der Leutnant und seine Soldaten, die in unser Haus kamen, um eher oberflächlich nach Waffen zu suchen, Menschen waren, wie wir sie kannten, und ich mich verständlich machen konnte mit dem Englisch, das wir in der Schule gelernt hatten.

Als sie das Haus wieder verlassen hatten, fehlte ein Feuerzeug, mehr nicht. Später mußten wir alles zurücklassen. Die amerikanischen Truppen transportierten uns vor ihrem Rückzug auf die Demarkationslinie zwischen Ost und West auf einem Lastwagen nach Westen. Aber am achten Mai gab es noch keine Zukunft, sondern nur den Tag. Der Krieg war zu Ende, und wir lebten. An den achten Mai als Tag der Kapitulation erinnere ich mich nur dunkel. Daß der Krieg nun zu Ende sein sollte, war nicht an einem Tag zu begreifen. Wir waren dabei, uns daran zu gewöhnen.

Für die Eltern war sein amtliches Ende weit mehr eine Zäsur als für uns. Wir hatten schon begonnen, an den Posten auf der Straße unsere englischen Kenntnisse zu erproben. Ich weiß nicht mehr, ob die amerikanischen Soldaten gefeiert haben. Wir waren nur erleichtert; am meisten wohl befreit von der Angst vor Bombenangriffen. Die Zeit der nächtlichen Bunkerfahrten mit dem Fahrrad, der Tieffliegerangriffe war zu Ende. Vor uns lag eine unbekannte Zeit. Wir füllten sie mit einer aufregenden, täglich neuen Gegenwart. Vor allem daran erinnere ich mich. Was der achte Mai 1945 wirklich bedeutete, das habe ich erst viel später verstanden.

Erik Blumenfeld
Befreiungstag

Ich erlebte den Tag der bedingungslosen deutschen Kapitulation in Hamburg, meiner Vaterstadt. Schon am Tage vorher hatte der Stadtkommandant im Einvernehmen mit Reichsstatthalter und Gauleiter Kaufmann die Stadt der britischen Armeegruppe, die Hamburg belagerte, kampflos übergeben, um weiteres sinnloses Blutvergießen zu vermeiden. Die britischen Voraustruppen, Panzer, motorisierte Einheiten rückten ein.

Es war ein strahlender, warmer Maisonntag. Die Bevölkerung war durch Rundfunk und Lautsprecherwagen der Polizei aufgefordert, in ihren Wohnungen zu verbleiben bei Androhung sofortigen Erschießens, sofern sie ohne Erlaubnis auf der Straße angetroffen wurde. Auch auf Balkons oder gar auf den Dächern durfte man sich nicht blicken lassen. Die Neugier jedoch trieb mich, eine Dachluke unseres in unmittelbarer Nähe der Alster gelegenen Hauses zu öffnen, um das historische Ereignis wahrzunehmen. Denn für mich war es der Tag der Befreiung. Ich war wenige Wochen vorher in einer abenteuerlichen Flucht aus dem Konzentrationslager entkommen und hatte mich bei Freunden in Hamburg versteckt gehalten.

Die Millionenstadt bot ein gespenstisches Bild. Friedhofsruhe anstatt Großstadtlärm und Artillerie- oder Bombenexplosionen. Nur Vogelgezwitscher und sporadisches Hundegebell waren zu hören. Mich dünkte es eine Ewigkeit, bis die ersten Motorengeräusche aufklangen. Zunächst zogen Aufklärungsflugzeuge der Engländer, dann Transportmaschinen im Tiefflug über die Stadt, unwillkürlich zog ich den Kopf ein, verschwand aus der Dachluke. Dann herrschte wieder Stille, bis ein stetiges, sonores Motorengrollen und Kettenrasseln die Panzer, Mannschaftswagen und einrückenden britischen Truppen ankündigten. Unsere Straße wurde, obwohl Nebenstraße, im Nu mit Hunderten von Militärfahrzeugen verstopft.

Soldaten, hohe Offiziere besetzten ein uns gegenüberliegendes Amtsgebäude der Wehrmacht und installierten dort eine wichtige Kommandostabsstelle der Besatzungsmacht. Auch unser Haus wurde umstellt. Offiziere und bewaffnete Militärpolizei schwärmten aus, untersuchten jedes Haus und jede Wohnung nach Waffen, unterzogen die Bewohner einer in manchen Fällen peinlichen, persönlichen Prüfung, kühl, aber korrekt. Auch wir wurden untersucht. Dabei wurden Lebensmittelvorräte, die wegen ihrer Herkunft und relativ großen Bestände Verdacht erweckten, beschlagnahmt. Erst nach langen Diskussionen wurde die Erklärung akzeptiert, daß diese Bestände dem dänischen Generalkonsulat gehörten, dessen Konsul seit langer Zeit als Untermieter bei meiner Mutter, einer gebürtigen Landsmännin, wohnte.

Am Abend des achten Mai erschien ein hoher britischer Offizier, um mich zu befragen, da ich als geflohener KZ-Häftling natürlich keine Ausweise besaß. Man vermutete in mir einen untergetauchten Nazi oder Wehrmachtsangehörigen. Erst als der dänische Konsul meine Identität sozusagen amtlich bescheinigte, verwandelte sich die peinliche Szene schlagartig. Der Offizier erklärte, er habe den Auftrag, sich nach mir zu erkundigen und im Rahmen des Möglichen zu helfen. Meine Familie war seit Jahrzehnten nämlich mit sehr einflußreichen Persönlichkeiten in England befreundet.

So wurde der achte Mai zu einem echten Befreiungstag für mich, meine Mutter und unsere engsten Verwandten und Freunde. Britische Offiziere brachten Whisky und Zigaretten, und wir feierten bis in die frühen Morgenstunden. Tausende von Mitbürgern machten andere Erfahrungen an diesem Tag, aber meine Gefühle waren die der Freude, Erleichterung von jahrelangem, unerträglichem Druck. Meine Mutter, schon damals gezeichnet von einer unheilbaren Krankheit, weinte vor Freude, sie umarmte meine zukünftige Frau, die meine Flucht aus der Gestapo-Haft mit organisiert hatte, und mich immer wieder.

Zum erstenmal seit mehr als einem Jahrzehnt glaubte ich wieder an eine Zukunft, ohne Krieg, Terror, brutale Geheimpolizei, Diktatur, eine Zukunft, in der es sich zu leben, zu arbeiten lohnte – eine Zukunft, die ich für meine Freunde, für mich, aber ebenso für das am Boden liegende Deutschland mitgestalten wollte. Zwar wußte ich noch nicht wie, aber der Wunsch wurde geboren an diesem achten Mai 1945.

WILLIAM BORN
Karlshorster Begegnung

Das Leben nach einem mörderischen Krieg, in einem vom Gegner besetzten Lande, ist für seine Bürger naturgemäß wenig angenehm. Dies gilt besonders für die Hauptstadt als dem Symbol des vollkommenen Sieges. Während die deutschen Länder westlich der Elbe von den Westmächten erobert wurden, war die Siegermacht östlich der Elbe die Sowjetunion, im Sprachgebrauch die »Russen« genannt. Die Ansichten über diese waren, je nach politischer Überzeugung und sozialer Stellung, unterschiedlich. Mir war klar, daß ich als früherer Wehrwirtschaftsführer nichts Gutes zu erwarten haben würde, auch wenn ich kein Parteigenosse gewesen war.

Am 25. April 1945 war Berlin völlig von den Russen umzingelt, und drei Tage später besetzten sie in der Nacht zum 28. April meinen Wohnbezirk Zehlendorf-Dahlem. In dem Garten meines Hauses wurde eine Feldküche aufgestellt, und die dazugehörende Mannschaft ging im Gebäude beliebig ein und aus. Meine Frau, unser zehnjähriger Sohn, unsere Hausangestellte und ich wurden in den ersten Stock verwiesen. Übergriffe seitens der Soldaten von der Feldküche erfolgten nicht, wohl aber begann mit der Dunkelheit in der ganzen Gegend ein wildes Leben, indem randalierende und marodierende Trupps auf der Suche nach Frauen und Wertgegenständen die Häuser und Wohnungen heimsuchten.

Es mußte sich herumgesprochen haben, daß sich in meinem Weinkeller ein beachtlicher Vorrat befand. Nach reichlichem Zuspruch steigerte sich die Aggressivität. Meine Frau, deren

Schwester, die inzwischen bei uns Zuflucht gesucht hatte, und die Hausangestellte konnte ich auf dem Boden verstecken. Sie blieben während der ganzen Russenzeit verschont. Ich selbst »unterhielt« mich während der Nächte mit den »Besuchern«.

Ein Politoffizier, der mit von der Partie war, entgegnete mir, als ich mich wegen der Übergriffe in der Nachbarschaft beschwerte – es hatte über zwanzig Tote gegeben –, sehr ernst, daß ich mich nicht wundern dürfe. Die Sowjetunion sei überfallen und verwüstet worden, sie habe zwanzig Millionen Menschen verloren, die Kriegsgefangenen habe man zu Hunderttausenden verhungern lassen und die Lebensmittel aus dem Lande geschafft zu Lasten der unversorgten Bevölkerung. Nun seien seit drei Jahren seine Soldaten mit dem Messer im Munde hinter den Nazis hergejagt, da seien einige Übergriffe doch wohl zu verstehen. Die Vorgesetzten könnten nicht überall sein, begreifen könnten sie die Soldaten, gebilligt würde deren disziplinwidriges Verhalten nicht. Ich schwieg beschämt, was hätte ich auch stichhaltig erwidern können?

Am dritten Tage der Besatzung kam erstmals ein Oberleutnant vom Stab aus Karlshorst, einem Berliner Vorort und Sitz des Armeeoberkommandos, zu mir. Man hätte meine Fabrik besetzt und ersehen, daß ich Wehrwirtschaftsführer gewesen sei. Was ich dazu zu sagen hätte? Nichts, denn es träfe zu. Er kam von nun an täglich, fuhr mit mir auch durch Berlin, wodurch ein gewisses besseres Verstehen nicht ausblieb. Eines Tages bemängelte er den schlechten Zustand der U-Bahn, in Moskau sei sie vorbildlich. Ich antwortete pikiert, daß seine U-Bahn neu wäre, unsere dagegen sei bereits zu einer Zeit gebaut worden, als man in Moskau noch mit der Troika durch den Schlamm fuhr. Er nahm das hin.

Am Tag des Waffenstillstandes, dem achten Mai, holte er mich zu einer Vernehmung nach Karlshorst ab; daß es eine Verhaftung war, sagte er nicht. Ich wurde in einen geräumigen Keller gebracht, wo ich mit ca. vierzig anderen Verhafteten zusammengesperrt wurde, einer bunt zusammengewürfelten Gesellschaft. Außer je einer dünnen Decke erhielten wir nichts. Als

»Kopfkissen« dienten einige Briketts. Jeder erzählte sein Schicksal, über unsere Zukunft herrschte Einigkeit, bestenfalls würden wir in Sibirien landen.

Nach 48 Stunden endlich wurde ich zum Verhör geholt. Fünf Stunden lang wurde ich über alles mögliche befragt, meine Antworten entsprachen der Wahrheit. Zum Schluß wurde mir eröffnet, daß ich in einer Kantine ein Mittagessen bekommen würde, daran anschließend wurde mir eine Wohnung als Arrest zugewiesen, in den Keller brauchte ich nicht zurück. Den Grund dieser Sonderbehandlung erfuhr ich erst später. Vier Tage lang wurde ich täglich verhört, stets im Beisein meines Oberleutnants. Mit ihm und dem kommandierenden Oberst wurde täglich gegessen, dann ging ich zurück in die Dreizimmerwohnung, ohne jede Bewachung. Ein Instinkt sagte mir, daß ich nicht fliehen dürfe.

Nach etwa einer Woche – die genaue Zeit kann ich nicht mehr angeben – wurde mir eröffnet, daß ich nach Hause gehen könne. Zwar sei ich Wehrwirtschaftsführer gewesen, aber übereinstimmend hätten alle Befragten, auch sowjetische Kriegsgefangene, die in der Fabrik nach Bombenangriffen zu Aufräumungsarbeiten eingesetzt gewesen waren, angegeben, daß ich mich stets human verhalten hätte, man könne mir nichts vorwerfen.

In der Tat hatte ich, was für mich selbstverständlich war, das Kommando von zwölf sowjetischen Kriegsgefangenen bei den häufigen Bombenangriffen mit in den Luftschutzkeller genommen, ihnen die gleiche Verpflegung zukommen lassen wie der deutschen Belegschaft und ihnen Zigaretten zugeteilt, alles wider die Bestimmungen. Die Auseinandersetzungen darüber hatte ich mit dem Nazivertrauensmann an Ort und Stelle öffentlich ausgetragen.

Freundlich wurde ich verabschiedet und machte mich erleichtert auf den dreistündigen Fußmarsch von Karlshorst nach Hause in Zehlendorf-Dahlem. Unterwegs wurde ich recht nachdenklich: Gängige Klischeevorstellungen über fremde Nationen und ihre Menschen sind nicht immer hilfreich.

SIGISMUND FREIHERR VON BRAUN
Schlußakt einer Tragödie

Am achten Mai 1945 war ich Legationssekretär an der Deutschen Botschaft beim Heiligen Stuhl. Mit Frau und halbjähriger, in britischer Internierung geborener Tochter war ich – nach fünf Jahren Tropen – im Januar 1943 dorthin versetzt worden. Eine zweite Tochter kam 1944 unter alliierter Besetzung in Rom zur Welt, ein Sohn 1945 in der Vatikanstadt, wohl bisher der einzige dort geborene Protestant. Meine Eltern lebten seit der Entlassung meines Vaters am 30. Januar 1933 auf ihrem Bauernhof in Schlesien. Wir hatten keine Nachricht. Meine Schwiegermutter war nach dem 20. Juli 1944 in Berlin von der Gestapo verhaftet worden und im Gefängnis umgekommen. Mein Chef war Ernst von Weizsäcker, Vater unseres heutigen Bundespräsidenten; Botschaftsrat war Albrecht von Kessel. Beide gehörten der Widerstandsbewegung an und verdankten ihr Überleben nur dem Umstand, daß sie nach dem 20. Juli 1944 hinter den Kampflinien für die Gestapo unerreichbar gewesen waren.

Der Tag des achten Mai war für unsere kleine Gemeinschaft der schicksalhafte Schlußakt einer großen Tragödie, die abzuwenden nicht gelungen war. Als wir die Nachricht im Rundfunk hörten, löste sie tiefe Trauer über den so schweren und endgültigen Fall Deutschlands, aber auch Aufatmen darüber aus, daß Terror und KZ vorüber waren und daß weitere Zerstörungen deutscher Städte nunmehr aufhören würden. Im Rückblick auf die letzten Monate aber waren wir besonders darüber deprimiert, daß es nicht gelungen war, unserem Volk Leid und Zerstörungen der letzten Kriegsmonate zu ersparen, und wir sahen der Zukunft mit beklemmenden Befürchtungen entgegen, besonders nachdem – dies geschah aber erst einige Zeit nach dem achten Mai – das Ausmaß der Judenvernichtungen bekanntgeworden war.

Weizsäcker hatte seine Aufgabe als Staatssekretär des Auswärtigen Amtes in den späteren dreißiger Jahren stets darin gesehen, den Kriegsausbruch zu verhindern – in München war ihm dies, sehr zum Ärger Hitlers, auch gelungen. Als der Krieg dann nicht verhindert werden konnte und seinen Lauf nahm, hatte er vergeblich nach Möglichkeiten gesucht, ihn auf die eine oder andere Weise abzukürzen, seine Folgen zu begrenzen und möglichst viel in den Frieden hinüberzuretten.

Anfang 1943 ließ er sich als Botschafter an den Vatikan versetzen. Er hatte – und wir mit ihm – eine wache, wenn auch vage Hoffnung, Papst Pius XII., der als Freund des deutschen Volkes galt und sich auch selbst als solcher empfand und bezeichnete, für eine Friedensvermittlung zu gewinnen oder auch bei einem der im Vatikan akkreditierten alliierten Missionschefs friedensfördernd wirken zu können.

In diesem Sinne betonte er in Gesprächen mit den beiden vatikanischen Staatssekretären, einigen Kardinälen, anderen Geistlichen und dem Papst selbst, daß es auch ein anderes Deutschland gibt, daß das deutsche Volk nicht für die Verbrechen seiner Anführer bestraft werden dürfe, daß weitergehende Zerstörungen Deutschlands Europa in seiner Gesamtheit und damit die Kirche selbst schwächen und auch den Westalliierten keinen dauerhaften Nutzen bringen würden.

Er hat darüber nach Berlin nichts berichtet und auch in seinen »Erinnerungen« wenig zu Papier gebracht. Wir aber konnten alles mitverfolgen. Ein Drahterlaß Ribbentrops von Anfang 1945 – etwa in der Zeit des Festfahrens der Rundstedt-Offensive –, in dem verklausuliert der Gedanke der Rückführung der deutschen Truppen aus dem Westen unter gleichzeitiger Verteidigung des Ostens erwogen und Weizsäcker beauftragt wurde, einen solchen Gedanken im Vatikan vorzutragen – der Erlaß wurde wenige Tage danach widerrufen und Auftrag erteilt, den ganzen Vorgang einzustampfen –, hatte zwar zu eingehender Unterhaltung Weizsäckers mit einem der vatikanischen Staatssekretäre geführt; die Reaktion auf die Frage, ob man dort einen solchen Gedanken bei den Westalliierten unterstützen würde, hatte aber zu abschlägigem Bescheid geführt.

Wie wir damals annahmen, weil Pius XII., der 1917 – damals Nuntius in Bayern – im Auftrage des Papstes Benedikt XV. einen erfolglosen Friedensvermittlungsversuch zwischen Entente und Mittelmächten überbracht hatte, in diesem Mißerfolg eine Bestätigung der alten kirchlichen These gesehen hatte, daß sie sich nicht in Angelegenheiten kriegführender Mächte einmischen darf. Wie wir heute aus den Aktenpublikationen des Heiligen Stuhls wissen, hatte aber insbesondere die Furcht der Kirche, den Alliierten gegenüber als Pro-Nazi zu erscheinen und dadurch ihre Nachkriegsposition zu gefährden, maßgeblich zur Ablehnung beigetragen.

Weizsäckers Versuche, mit den westalliierten Missionschefs ins Gespräch zu kommen, blieben erfolglos. Persönlicher Vertreter Roosevelts war Myron Taylor, britischer Gesandter Sir Darcy Osborne – beide sahen in Weizsäcker nur den Vertreter der Feindmacht; der Franzose, Léon Bérard, war noch von Vichy entsandt und schied für solche Themata als Gesprächspartner aus; einen Sowjetrussen gab es nicht. Aber auf der zweiten Etage konnten Kessel und ich gelegentlich Unterhaltungen führen. Darin wurde uns unmißverständlich erklärt, daß politische Gespräche von Belang nicht in Frage kämen, solange Hitler und seine Leute an der Macht waren.

In Casablanca war die Formel von der bedingungslosen Kapitulation erfunden, später in Moskau zum deklarierten Kriegsziel der Alliierten erhoben worden. Wir hatten Grund zur Annahme, auf sowjetischen Druck; Stalin hatte auf die bloße Andeutung Churchills, die Westalliierten könnten auch auf dem Balkan eingreifen, mit einem Separatfrieden mit Hitler gedroht. Roosevelt hatte auf den fehlgeschlagenen Versuch des 20. Juli 1944, Deutschland eine demokratische Regierung zu geben, in höchst negativer, ironisierender Weise reagiert und dadurch seine Nichtbereitschaft zur Verhandlung auch mit einem anderen Deutschland offenbart (was uns angesichts der erfolgreichen Landung in der Normandie zwar verständlich, aber doch als Fehler erschienen war). Jedenfalls waren seither auch unsere Unterhaltungen auf der unteren Etage ausgeblieben.

Erst am achten Mai selbst kam Hugh Montgomery, britischer Botschaftsrat, mit dem stets offen und ohne persönliche Animosität gesprochen werden konnte, zu uns mit dem Satz: »Now we can finally again talk together.« Aber naturgemäß beschränkte sich die Unterhaltung auf das Tagesereignis. Unser japanischer, mit uns in der Vatikanstadt »internierter« Kollege drückte uns aber alsbald die Mißbilligung Tokios darüber aus, daß das Reich Japan in seinem Kampf allein gelassen habe.

Immerhin war auch im Vatikan genug über die Spannungen zwischen Ost- und Westalliierten bekannt gewesen, um nicht alle Hoffnung aufzugeben, doch noch vor der Kapitulation die allerschlimmsten Zerstörungen in Deutschland verhindern zu können. Man konnte nicht sicher wissen, ob diese Spannungen nicht noch während der Kriegshandlungen zu einem Bruch der Allianz führen könnten. Italien hatte uns für die Grenzen, von welchen ab Verträge nicht mehr innegehalten werden, ein lebendiges Beispiel gegeben: Nach einem – übrigens recht geringfügigen – Bombardement einer römischen Vorstadt am 20. Juli 1943 hatte am 25. Juli der Große Faschistische Rat dem Duce das Vertrauen entzogen, der König hatte ihn abgesetzt und auf den Gran Sasso verbannt; Badoglio hatte zwar erklärt: »Der Krieg geht weiter«, aber trotz Stahlpaktes gleichzeitig Geheimverhandlungen mit den Alliierten aufgenommen, die am achten September 1943 zum Waffenstillstand geführt hatten.

Seither war Rom in deutscher Hand gewesen und auch bis zum Einmarsch der Alliierten am vierten Juni 1944 geblieben. In der Zwischenzeit hatte unsere Botschaft wesentlich dazu beitragen können, Verfolgten aller Art, insbesondere Hunderten italienischer, von der SS, dem SD und ultrafaschistischen Verbänden verfolgter Juden Rettung zu ermöglichen, was in einem Leitartikel im Osservatore Romano auch anerkannt worden ist.

Wir hatten alles getan, um die im Kampfgebiet liegende Benediktinerabtei Monte Cassino unversehrt durch den Krieg zu retten – ihre Zerstörung durch alliierte Bomben und Artillerie ist sicher nicht deutsche Schuld, da sich kein einziger deutscher Soldat in ihr befand. Und wir hatten Feldmarschall Kesselrings Einverständnis zur Erklärung Roms zur »Offenen Stadt« erwirkt und über den Vatikan an die Alliierten weitergeleitet, so daß der Übergang Roms am vierten Juni 1944 fast ohne Verluste an Menschenleben hatte erfolgen können.

All dies lebte in unserem Rückblick am achten Mai wieder auf. Aber unsere Hoffnung, durch Gespräche vor Ort den Deutschen die letzten, schlimmsten Monate zu ersparen, war in nichts zerronnen.

Besonders deprimiert aber waren wir über Deutschlands Zukunftsaussichten. Im Jahre vor seinem Tod hatte Kardinalstaatssekretär Maglione zu Weizsäcker einmal gesagt: »Ce que je crains plus que la guerre, c'est l'après-guerre!« (mehr als den Krieg fürchte er die Nachkriegszeit). Wir teilten diese Befürchtung. Mit der Kapitulation verbunden war der Morgenthau-Plan, nach welchem Deutschland seiner Industrien beraubt und zu einem Agrarland reduziert werden sollte. Die ersten Schritte zur Durchführung dieses Planes sollten alsbald eingeleitet werden. Aber wir wußten auch, daß bei den Alliierten auch andere Meinungen vertreten wurden – unter anderem waren gegenteilige Ansichten Cordell Hulls durchgesickert.

Eine amerikanische Zeitschrift namens »Human Events« setzte sich für die Erhaltung eines gewissen deutschen Industriepotentials ein. Ich erinnere mich an Artikel eines mir damals unbekannten, sehr viel später persönlich recht nahegekommenen Amerikaners namens Karl Brandt; welches Gewicht diese Stimmen aber hatten oder haben würden, ahnten wir nicht.

Wir wissen heute, wie es weiterging. Aber am achten Mai 1945 waren wir, bei allem Verständnis für alliierte Vergeltung für KZ und Terror der Nazizeit, erfüllt von tiefster Besorgnis um die Zukunft unseres Landes, dessen menschliche und materielle Substanz durch Zerstörung unserer Städte, durch den voraussehbaren Verlust von Teilen der deutschen Ostgebiete, durch Flüchtlingsströme ungeahnten Ausmaßes fast unheilbar zerstört schien.

LEO BRAWAND
Chittler kaputt

Am Bahnhof des hannoverschen Vororts Hainholz stand ein
deutscher Panzer. Seine Besatzung war getürmt; vier scharfe
Granaten konnte man durch die offene Luke sehen. Gegenüber, oben auf den Brückengeleisen, hatte sich eine Lokomo-
tive quergestellt. Weithin leuchtete noch die jetzt absurd wir-
kende weiße Inschrift: »Räder müssen rollen für den Sieg!«

Die umliegenden von den Bomben verschonten oder nur
teilweise zerstörten Häuser waren von den Überlebenden mit
Holzbalken, Draht und Sandsäcken verrammelt, weil das Gerücht umging, die siegreich einmarschierten Amerikaner hätten
den »Fremdarbeitern« und Kriegsgefangenen die Stadt Hannover drei Tage zum Plündern freigegeben. Russen jökelten laut
singend auf gestohlenen Fahrrädern herum; eine Schnapsde-
stille verteilte heimlich an Deutsche ihre Vorräte, um sie nicht
in »falsche Hände« geraten zu lassen. Ein Trupp geschaßter
Nazis räumte unter Aufsicht an der Schulenburger Landstraße
die zerbrochenen Laternenpfähle beiseite, die von den einrük-
kenden Amis – aus Wut über einen von Hitlerjungen noch vor
den Toren der Stadt hinterrücks erschossenen GI – von ihren
Panzern Stück für Stück plattgewalzt worden waren.

Ich tat, was alle, die sich aus den Kellern trauten, machten:
Ich plünderte. Noch während der letzten Kampfhandlungen
hatte ich meinen größten Fang gemacht, nämlich einen ganzen
Ballen Nesselstoff erobert, den auf dem Bahngleis ein anderer
weggeworfen hatte, als Beschuß einsetzte. Heute, am achten
Mai, war ich noch einmal in den Güterwaggons, um nach
Brauchbarem zu suchen. Ein Waggon war noch verplombt.

Wir brachen ihn auf, und dann war ein Haufen Menschen in
dem Raum, der das Unterste zuoberst beförderte. Jeder griff
sich, was er erwischte. Ein Pole hielt aus einem Karton gefischte
Kleidchen in die Luft und rief: »Wer kann brauchen? Für kleine
Kind.« Ich warf einen Karton frankierter, aber jetzt natürlich

wohl wertloser Postkarten beiseite. Dafür aber ergatterte ich einen ganzen Kasten Rollfilme vom Kaliber sechs mal neun, die sich später als bestes Tauschmaterial beim Handel mit den Siegern erweisen sollten.

Als ich mich mit meinem Schatz verdrückte, sah ich als letztes, wie ein Mann in der Ecke des Waggons mit einem Messer immer wieder auf einen Packen Hitler-Bilder einstach; eins nach dem anderen der durchstochenen Porträts schmiß er aus dem Waggon und schrie fortwährend: »Chittler kaputt.«

Ja, Hitler war kaputt, das hatten wir schon gehört. Gerade als ich mit meiner Rollfilmbeute in die Hainhölzer Gartenlaube eintrat, in der meine Familie mit sechs Personen hauste, nachdem unsere Wohnung am Engelbosteler Damm 119 noch zum Schluß in Flammen aufgegangen war, kam es aus dem Volksempfänger, im Hauptquartier Eisenhowers habe der deutsche General Jodl die bedingungslose Kapitulation Deutschlands unterzeichnet.

Während daraufhin in dem befreiten Russenlager auf dem Gelände der benachbarten Uniformfabrik Jubelgeschrei ausbrach – bis in die Nacht dauerte die Siegesfeier –, nahmen wir die Nachricht schweigend zur Kenntnis, so wie es einen nicht mehr so sehr mitnimmt, wenn der Totenschein ausgestellt wird. Daß Deutschland tot war, wußten wir, und niemand hatte es ernst genommen, was noch vor wenigen Tagen aus dem Radio gedrungen war: »Deutschland lebt – Werwölfe, nutzt die Nächte!« Auch als der Luftschutzwart die Leute daran hindern wollte, die Bänke aus dem Hainhölzer Bunker zu holen, weil »wir sie vielleicht noch mal brauchen«, hatten sie nur an die Stirn getippt.

Was ich dachte? Was wir fühlten? Zunächst vor allem: Erleichterung, daß keine Bomben mehr fielen, daß man schlafen konnte, daß die unmittelbare ständige Lebensgefahr und die Angst vorüber waren.

Aber fast gleichzeitig und gleichgewichtig: Ungläubigkeit und Entsetzen über das, was da im Namen Deutschlands in KZs und anderswo Verbrecherisches geschehen sein sollte. Anfangs glaubten wir nichts davon. Doch dann wurde ein befreiter KZ-Häftling in Hainholz Friseur, und ein Nachbar mußte am Maschsee die in letzter Minute erschossenen unschuldigen russischen Kriegsgefangenen ausgraben und umbetten – und sie erzählten.

Nachts machten wir zu dritt in unserer Laubenkolonie Patrouillengänge, um unser bißchen gerettetes Gut zu bewachen, und nachts warf auch mein Vater seinen Polizistensäbel in den nächsten Bombenkrater und seine Pistole hinterher. Am achten Mai, dem Tag der Kapitulation, aber hißte er an unserem Fahnenmast im Garten ein rotes Bettuch.

Wir fragten uns, wofür und warum diese fünfeinhalb Jahre Krieg mit seinen entsetzlichen Folgen geführt worden waren, und wir ahnten, daß uns Deutsche dies unser Leben lang begleiten würde. Ich dachte an meinen gefallenen Schwager, daran, daß ich selbst davongekommen war – trotz der drei Kugeln aus der russischen Maschinenpistole, die mich 1943 am Arm erwischt hatten. Mein Soldbuch hatte man mir bei der Entlassung als Souvenir ausgehändigt, denn die Kugeln waren durch sämtliche Seiten hindurchgegangen. Und das Soldbuch trug der deutsche Soldat nach Vorschrift in der linken Brusttasche!

Am Abend des achten Mai, als es schon dunkel war, drängte sich ein hochgewachsener Mann als siebter in das eine Zimmer unseres Notquartiers, ein Bekannter. Er fürchtete, »seine« früheren Fremdarbeiter würden ihn umbringen: »Besoffen und siegestrunken, wie sie sind.«

Mutter meinte: »So ein kräftiger Mann, aber soviel Angst.«

Noch einmal, während von der Fabrik der melancholische Gesang der Russen herüberdrang, klopfte jemand an die Tür. Ein Nachbar, der einen Leiterwagen ohne Pferde besorgt hatte und vorschlug, am nächsten Tag nach Vinnhorst in die Lagerhäuser am Kanal zu fahren. Der Nachbar: »Dort liegt jede Menge griechischer Tabak! Und Konserven!«

Unmittelbares, also das Lebensnotwendige für die nächsten Tage, aber auch unruhig diskutiertes Zukünftiges waren am Tag der Kapitulation in unseren Köpfen. Allererste Stichworte, die wir nie gehört hatten, waren zu verarbeiten: Jalta-Konferenz, bedingungslose Kapitulation, Vierzoneneinteilung Restdeutschlands.

Das klang anders, als was wir bis dahin von der Obrigkeit gehört hatten: Der »uns aufgezwungene Krieg«, »Verteidigung des Vaterlands« und zum Schluß »Die Heimat steht im Schützengraben«. Noch hatte ich die Radiomeldung im Ohr: »Die Gauleitung bleibt bei der ihr anvertrauten Bevölkerung«; danach war Gauleiter Lauterbacher – mit Proviant und achtzigtausend Zigaretten – in den Harz geflüchtet.

Der Kapitulationstag und auch die nächsten Tage brachten kein plötzliches Augenöffnen, kein einmaliges Binde-von-den-Augen-Nehmen für mich. Dazu war die Fülle neuer Erkenntnisse oder Vermutungen, dazu war die anhaltende Wirkung der Goebbels-Propaganda noch zu groß. Aber mir dämmerte, daß von dem angeblich kriegsauslösenden »Überfall polnischer Söldner auf den Sender Gleiwitz« – der Überfall war von Angehörigen der SS in polnischen Uniformen verübt worden – bis zum angeblichen »Heldentod des Führers in Berlin« eine ununterbrochene Kette verbrecherischer Lügen und Gewalttaten gereicht hatte.

Kein Wunder, daß wir keine ausländischen Sender hören durften und niemals eine objektiv berichtende Zeitung in die Hand bekamen. Außer Trauer und Beschämung war es deshalb vor allem Zorn, der in mir immer wieder hochkam.

Noch vage und unausgesprochen, mit Sicherheit aber schon in Ansätzen nahm ich mir damals vor, »so etwas« nie wieder geschehen, das heißt mich und andere nie wieder so belügen zu lassen. Ich war einer der zornigen jungen Männer von 1945 und hatte das Glück, anderthalb Jahre später im Anzeiger-Hochhaus von Hannover zur Gründungsmannschaft des »Spiegel« zu stoßen, dem ich noch immer angehöre.

MARTIN BROSZAT

Erlösung von Angst

Die Nacht vom achten zum neunten Mai 1945 erlebte ich als achtzehnjähriger Soldat in dem sächsischen Grenzort Johanngeorgenstadt auf dem Kamm des westlichen Erzgebirges. Nach einem langen Tag der Flucht vor den auf der Straße Brüx – Komotau (Sudetenland) schnell nach Westen vordringenden russischen Panzerverbänden war ich mit einigen anderen versprengten deutschen Soldaten in einem Wehrmachtslastwagen hier in später Dunkelheit eingetroffen, sehr erleichtert, sächsischen Boden erreicht zu haben. Den ganzen Tag über hatten wir befürchtet, daß unser Wagen von tschechischen Milizen oder befreiten französischen Kriegsgefangenen, die zum Teil mit geschulterten Fahnen und Gewehren auf derselben Straße nach Westen zogen, aufgehalten werden könnte und unser Vorhaben, das letzte noch unbesetzte Gebiet in Südwestsachsen zu erreichen, scheitern würde. In dem provisorisch als Nachtquartier eingerichteten Nebenraum einer Gastwirtschaft erhielten wir, an einem kleinen Radio sitzend, zu Mitternacht über BBC aus dem Munde des englischen Königs bestätigt, was den ganzen Nachmittag über schon als Gerücht herumgeschwirrt war: Die deutsche Wehrmacht hat kapituliert, der Krieg ist zu Ende.

Was ich damals empfunden habe, kann ich noch zum Teil erinnern und auch ein wenig kontrollieren aufgrund eines Tagebuches, das ich bald danach zu schreiben begann und noch besitze. Ganz persönliche, situationsbedingte Dinge nahmen den größten Raum ein. In den Tagen zuvor hatte ich während meines nur kurzen militärischen Einsatzes, auf den ich lange Zeit vorher in langer Reserveoffiziersausbildung so gespannt gewesen war, neben der Erfahrung pimpfenhaft naiv genossenen Kriegsabenteuers und körperlicher Leistungsfähigkeit zum erstenmal auch heillose Angst erlebt. Am stärksten war dies in der vorvergangenen Nacht gewesen, als »die Russen« uns dicht auf den Fersen waren, wir ihre Stimmen schon hören konnten und das Kettengeräusch ihrer Panzerungetüme – wir hatten damals nur noch Fahrräder – uns zu panischer Flucht trieb. In dieser Nacht war der ganze Zusammenhang unserer Einheit verlorengegangen, jeder hatte sich auf seine Weise zu retten versucht.

Erlösung von dieser Angst war ein Grundgefühl, als ich die Nachricht vom Kriegsende vernahm. Der zweite Hauptgedanke war: Wie schaffe ich es, ohne in Gefangenschaft zu müssen, mich durchzuschlagen zu meinen Eltern und Geschwistern in dem kaum mehr als hundert Kilometer entfernten Heimatort bei Leipzig (es gelang dann sehr gut).

Von solchen inneren Erlebnissen und persönlichen Überlegungen umstellt, war die historische Dimension des Ereignisses mir gleichwohl voll bewußt. Daß es nun zu Ende geht mit dem Krieg und der Nazi-Herrlichkeit, war seit Wochen Gegenstand vieler Gespräche im engeren Kreis von Kameraden – meist Gymnasiasten gleichen Alters – gewesen. Bei einem von ihnen, aus offenbar ganz nationalsozialistischem Elternhaus stammend, hatte die Nachricht von Hitlers Selbstmord zu einem regelrechten seelischen Zusammenbruch geführt.

Bei mir selbst war die durch konträre Erziehungseinflüsse (christliches Elternhaus kontra Hitlerjugend) seit langem vorgeformte Zwiespältigkeit des Erlebnisses der Hitler-Zeit auch am achten Mai das Bestimmende. Und sie wurde noch erheblich verstärkt durch die Kontrasteindrücke dieses Tages. Bei strahlendem Maiwetter auf dem Lastwagen hockend, konnte ich viele Stunden lang die Zeichen der Auflösung der deutschen Wehrmacht und des Machtwechsels auf der Landstraße und in allen Orten, die wir passierten, intensiv in mich aufnehmen.

Das Gefühl, eine historische Stunde zu erleben, war voll da, aber widersprüchlich gemischt mit gleich starken gegensätzlichen Empfindungen von der Bedeutung dieser historischen Stunde. Als Beispiel nenne ich zwei Gedanken, von denen ich sicher weiß, daß ich sie damals hatte, weil ich sie wenig später dem Tagebuch anvertraute: Ich war damals noch sicher, daß es »eine große Zeit« gewesen sei, die an diesem Tag zu Ende ging, aber ich nahm gleichzeitig als sicher an, daß mir selbst und allen anderen erwachsenen Deutschen jetzt – berechtigterweise – eine zehn- bis zwanzigjährige Zeit der Sklavenarbeit im Dienst der Siegermächte bevorstehe als Buße für die von Deutschland inszenierte Kriegskatastrophe.

Ich erinnere auch, daß mir damals noch anderes sehr Widersprüchliches im Kopf herumspukte: das Bild des »drahtigen« einarmigen, blonden Leutnants mit dem Ritterkreuz und seinem jugendlichen Charme, den wir noch vor kurzem in dem ROB-Lehrgang (Reserveoffiziersbewerber) als besten, faszinierenden Typus Hitler-Deutschlands verehrt hatten, auf der anderen Seite die ungeduldige Sehnsucht, aus diesem Kommißleben herauszukommen, viele geliebte Bücher lesen und endlich wieder privat leben zu können.

Ich war damals erst achtzehn Jahre alt, und das mag zum Teil erklären, warum das Erlebnis des achten Mai 1945 in so starkem Maße befangen blieb in mehr sentimentalen als rationalen Gedanken. Dennoch, ich gestehe es, hat mich dies beim Nachlesen des Tagebuches am meisten betroffen gemacht. Jugenderziehung damals, auch außerhalb der Hitlerjugend, selbst in dem frommen Elternhaus, das mehr emotional als durch Einsichtvermittlung uns Kinder gegen den Hitler-Rummel einnahm, hatte in dem Milieu, in dem ich aufwuchs, kaum Raum für politische Verstandesbildung. Die im Zeitgeist verankerte Vorrangigkeit des »inneren Erlebnisses«, einer idealistischen Grundbefindlichkeit von ebenso suggestiver wie oft qualliger Natur, die, wie wir heute wissen, geeignet war, wirklichkeitsfremde »idealistische« Nazis ebenso wie kompensatorische Rückzüge aus der lauten Naziwelt in eine unpolitische Verinnerlichungskultur zu produzieren, scheint mir im nachhinein als das eigentlich Befremdliche auch meiner eigenen Zeitverarbeitung von damals. Es hat bei mir wie sicher auch bei vielen anderen erst der rationaleren Einflüsse der Nachkriegszeit bedurft, um davon freier zu werden.

GÜNTER DE BRUYN
Viktoria

Der Tag, an dem der Krieg endete, war klar und warm. Die
Sonne schien durch geöffnete Fenster, und da die Lautsprecher,
die sonst von morgens bis abends gelärmt hatten, seit vier Tagen schwiegen, kam einem die Welt freundlich und friedlich
vor.

Daß der Friede tatsächlich schon da war, wußten wir nicht.
Das tschechische Aufstandskomitee, das seit dem vierten Mai
die Stadt Rakovnik beherrschte, hatte nämlich neben Pistolen,
Seitengewehren und Dolchen auch das einzige Radiogerät beschlagnahmt, so daß das Behelfslazarett informationslos geworden war. Statt der Nachrichten gab es nun stündlich neue
Gerüchte, in denen viel vom baldigen Einmarsch der Amerikaner, nie aber von Kapitulation die Rede war.

Kurz nach der Morgenvisite wurde die Ruhe durch die Mitteilung gestört, daß eine Durchsuchung nach Waffen erfolgen
sollte. Während in den Klassenzimmern des Parterres schon die
Suchkommandos lärmten, Bartureit Ölsardinenbüchsen hinter
Heizkörpern versenkte, Zeitler Uhr und Ringe unter Verbände
schob und ich Zigarettenpäckchen, Marke Viktoria, unter der
Matratze versteckte, fuhr mein Bettnachbar, der seit zwei Wochen einbeinige Unteroffizier Bauer, aus seiner Lethargie
plötzlich auf. Er zog seinen Rucksack unter dem Bett hervor,
warf mit zitternden Händen Kragenbinden, Socken und Briefe
heraus, fand schließlich, was er suchte, und legte es vorsichtig
auf das Bett: drei Eierhandgranaten, die er bis zu diesem Moment vergessen hatte und die ihn, wie er sagte, nun das Leben
kosten könnten, wenn nicht einer der Gehfähigen sie in die Tasche steckte, auf die Knabentoilette trüge und wenn möglich
hinunterspülte. Mit heiserer Flüsterstimme bot er dreihundert
dafür – womit Kronen gemeint waren, bunte Scheine, die neben
dem Bild des Hradschin in Deutsch und Tschechisch die Auf-
schrift Protektorat Böhmen und Mähren trugen und die selbst

Endsieggläubigen nicht als stabile Währung galten, weshalb sie bei jeder Soldauszahlung sofort umgesetzt wurden in Zigaretten, Konserven und Bier.

Zeitler, der seit Tagen jedem erzählte, daß er nur unter Zwang Offiziersanwärter geworden sei, war für fünfhundert Kronen zur Rettung Bauers bereit. Da sein blau und weiß gestreifter Krankenanzug zwar zwei Jackentaschen, aber keine Hosentasche besaß, trug er die dritte Granate in der Hand. Aber weit kam er nicht, weil auf dem Flur Schritte ertönten. Als die Tür aufging, lag er schon wieder im Bett. Auf dem Tisch, der in der Mitte des Zimmers stand, lagen, in der Sonne schwarzglänzend, die Granaten: ungarisches oder sowjetisches Beutegut, wie Bauer in einem Ton erklärt hatte, als sei dadurch seine Vergeßlichkeit zu verzeihen.

Die von allen erwartete Frage, wem die Mordinstrumente gehörten, wurde gar nicht gestellt. Ein Karabinerlauf wies auf Springs, der am Fenster saß. Der stand gehorsam auf, lud sich die Stahleier auf die offenen Handflächen und trug sie unter bewaffneter Begleitung hinunter auf den Schulhof, wo die Kastanien blühten.

Nachträglich behaupteten alle, sie hätten sich amüsiert. Zeitler sagte, er habe frech gegrinst über die Lahmärsche mit ihren gestohlenen Waffen. Bartureit, auf dessen Namensschild kürzlich der SS-Dienstgrad durch Feldwebel ersetzt worden war, wollte wetten, daß die Halbzivilisten einen 98 k nicht von einer Klosettbürste unterscheiden könnten, und Bauer fand es weise vom Führer, daß er diese Leute nie für würdig gehalten hätte, deutsche Uniformen zu tragen, obwohl er andererseits gut von ihnen fand, daß sie das Hitler-Bild nicht zerstört, sondern nur von der Wand genommen und in die Ecke gestellt hatten. Auf diese Bemerkung hin hob Springs das Bild hoch und ließ es ohne sichtbare Erregung zu Boden fallen, was ich sehr mutig fand.

Ich hatte große Angst gehabt vor der entsicherten deutschen Maschinenpistole, deren Lauf dicht vor meinem Gesicht geschwankt hatte, als der Tscheche mein Bett durchsuchte. Er war nicht älter als ich, siebzehn oder achtzehn, steckte in einem zu kleinen Anzug, um den er ein Koppel mit vielen Patronentaschen geschnallt hatte, und sah nicht so aus, als ob er die Tükken seiner Waffe kannte, die dem Gerücht nach manchmal losging, ohne daß der Abzug berührt worden war. Er aber hatte den Finger der rechten Hand ständig dort, während er mit der Linken unter die Matratze griff und die Zigaretten hervorzog. Nix Viktoria, sagte er dabei.

Seit einer Kopfverwundung vor sechs Wochen leistete ich mir den Luxus, stumm zu sein, und ich blieb auch jetzt noch dabei. Sicher hätte er mich auch nicht verstanden, wenn ich ihm gesagt hätte, daß ich mich nicht als Besiegter fühlte, weil ich damals nämlich zu der Überzeugung gekommen war, daß die Sieger in Kriegen immer die Überlebenden sind, was kein Anlaß zum Frohsinn war, wenn man an die toten Brüder und Freunde dachte und die lebenden Bartureit.

Erinnerungen über vierzig Jahre hinweg sind unzuverlässig, weshalb ich nicht für jede der hier mitgeteilten Einzelheiten (wie zum Beispiel die Namen) bürgen kann. Sicher aber weiß ich, daß ich damals nicht über Freiheit und Tyrannei, über Recht und Unrecht nachdachte, sondern daß einzig wichtig für mich war, die Maschinenpistole sich ohne Zwischenfall von meiner Nase entfernen und die Zigaretten in der Anzugtasche verschwinden zu sehen. Bauer, der bis in die laute Nacht der Siegesfeier hinein mit Zeitler über die fünfhundert Kronen stritt und wie alle anderen keine Verluste zu beklagen hatte, kommentierte das nachher so: Die wissen genau, mit wem sie es machen können.

MARGARETE BUBER-NEUMANN
So schnell wie möglich nach Bad Kleinen

Am 21. April 1945 wurde ich aus dem KZ Ravensbrück entlassen. Hinter mir lagen mehr als sieben Jahre Gefangenschaft. An diesem Tag wurden die Tore des Konzentrationslagers geöffnet, weil sich, wie wir hörten, die Rote Armee Ravensbrück näherte. Für mich gab es nur ein Ziel: westwärts, so schnell wie möglich. Hatte ich doch bereits sowjetisches Gefängnis und Lager hinter mir und wußte, was mir blühen würde bei einer neuerlichen Verhaftung durch den NKWD.

Es ging darum, so schnell wie möglich in jene Gebiete Deutschlands zu gelangen, die von den westlichen Alliierten besetzt wurden. Ich strebte der Stadt Potsdam zu, weil in ihr meine Mutter lebte. Eine direkte Eisenbahnverbindung dorthin gab es nicht mehr. Gemeinsam mit anderen Ravensbrücker Häftlingen landeten wir zunächst in Güstrow. Dort erfuhren wir von desertierten deutschen Soldaten, daß die amerikanische Front in der Nähe von Bad Kleinen verliefe. Es galt also, dorthin zu gelangen.

Zusammen mit Emmi Görlich, einer Bekannten aus dem Lager Ravensbrück, machte ich mich auf den Weg nach Bad Kleinen. Alle Landstraßen waren voll mit Fliehenden.

Nach der ersten Nacht in einer Scheune zogen wir gemeinsam mit mehreren Exsoldaten und einigen Jugendlichen südwestwärts. Mehrere Male hatten wir bereits die gefürchteten Wegsperren umgangen, als wir von neuem ausweichen mußten. Wir stapften durch einen Frühlingswald, als plötzlich einer der Jungen in Geschrei ausbrach: »Kommt mal alle her! Hier sind ganz tolle Sachen! Zeitungen! Die haben se bestimmt vom Flugzeug abgeworfen!« Alle drängten sich um den Jungen. Einer der Exsoldaten las laut folgende Schlagzeilen: »Hitler begeht Selbstmord. Leiche vor dem Bunker der Reichskanzlei mit Benzin übergossen und angezündet ... Goebbels und seine Familie nahmen Gift ...«

Ich versuchte mitzulesen. Doch die Zeilen schwammen vor meinen Augen. Es herrschte absolute Stille. Das war nun also der Augenblick, auf den wir im KZ Ravensbrück voller Verzweiflung gewartet hatten. Für unzählige kam er zu spät ... Die Soldaten, die jungen Wehrmachtshelfer und wir hartgesottenen ehemaligen KZler verharrten eine ganze Weile fassungslos und stumm. Dann brach es aus den Jungen heraus. Sie überboten sich gegenseitig in Schimpfkanonaden . . .

Emmi und ich wurden von diesen kaum faßbaren Nachrichten gepackt und vorwärts getrieben. Es galt – koste es, was es wolle –, Bad Kleinen zu erreichen, und zwar so schnell wie möglich. Wir kamen an Bahngeleise und liefen – wie Hunderte anderer Flüchtender – auf einem Pfad neben den Schienen. Irgendwoher erfuhren wir, daß die russischen Panzer nur noch drei Kilometer von hier entfernt sein sollten. Von Müdigkeit oder Erschöpfung war keine Rede mehr. Wir steigerten unser Tempo. Plötzlich vernahm ich ein Singen in den Schienen. Ein Zug näherte sich. Wenn er doch nur halten würde und uns mitnähme! Bange Sekunden! Er verlangsamte seine Fahrt. Die Bremsen kreischten. Das schier Unglaubliche geschah: Menschen auf den Plattenwagen zogen uns hinauf. Vor Glück kamen mir die Tränen. Langsam fuhr der Zug weiter, blieb nach einer Weile endgültig stehen. Die Nacht war sternklar und eisig kalt. Menschen tauchten in die Dunkelheit. Am Morgen kamen einige Männer von Bad Kleinen mit der Nachricht, daß jeder, der es wage, die amerikanische Front zu passieren, erschossen würde. Trotzdem überredete ich Emmi zum Aufbruch. Wir humpelten im Morgengrauen auf dem schmalen Pfad des Eisenbahndammes und erreichten schließlich den Bahnhof Bad Kleinen. Es wimmelte von Flüchtlingen.

Jenseits des Bahnhofs führte ein Hohlweg gen Westen. Mit klopfenden Herzen erkletterten wir den Abhang. Vor uns ein weites Feld. Da standen in regelmäßigen Abständen Soldaten. Daß es Amerikaner sein mußten, erkannten wir an den Stahlhelmen. Ohne zu überlegen, liefen Emmi und ich auf die Schützenkette zu. Nicht nur die Angst vor den Russen machte uns kühn und entschlossen, auch das reine Gewissen der Konzentrationslagerhäftlinge verlieh uns diese Kraft.

Auf einen Soldaten mit rotem, freundlichem Gesicht steuerte ich zu und bat in schlechtem Englisch, uns passieren zu lassen. Ich erzählte ihm, daß wir fünf Jahre im Konzentrationslager Ravensbrück gesessen hätten, daß ich vorher als Emigrantin in

Sibirien im Konzentrationslager gewesen sei und daß mir, wenn die Russen kämen, das gleiche Schicksal noch einmal widerfahren würde. Er blickte auf unsere Ölfarbenkreuze, nickte, machte eine Handbewegung und sagte: »O.K. You can pass!«

Wir waren noch keine zwanzig Meter weit gegangen, als der Amerikaner schrie: »Stop! Wait a moment!« Wir sahen ihn davongehen und in einem Bauernhaus am Rande des Feldes verschwinden. Emmi meinte mit trauriger Stimme: »Jetzt fragt er bestimmt einen Vorgesetzten, und dann wird man uns zurückschicken . . .« Aber nach einigen Minuten kam aus dem Tor des Hofes ein mit zwei Pferden bespannter Wagen gefahren, und vorn auf dem Brett saß unser Amerikaner. Er fuhr an uns heran, sprang herunter und sagte: »That's yours!!«

Ich hielt noch kaum die Leine in der Hand, als die Pferde auch schon anzogen und mit uns über das holprige Feld davonfuhren . . .

GERD BUCERIUS
Die Befreiung kam in Etappen

Natürlich hat jeder seine eigene Kapitulation erlebt. Meine war absonderlich; ich war eben unter dem Hitler-Regime in absonderlicher Lage.

Oktober 1932, ein paar Monate vor der »Machtergreifung« also, hatte ich eine Jüdin geheiratet; also war ich als Gegner des Regimes abgestempelt. Nach der Kristallnacht (1938) hatte ich Gretel nach London in Sicherheit gebracht in der Annahme, nachreisen zu können, sobald ich meine Anwaltspraxis ein wenig international hatte ausbauen können. In England hatte ich schon Klientel geworben – meist Emigranten, jüdische und nichtjüdische. So konnte ich zwei-, dreimal im Monat »geschäftlich« zu meiner Frau nach London reisen.

Der Kriegsausbruch überraschte uns. Daß Hitler den Krieg gegen den – wie ich meinte – übermächtigen Westen und gar die Sowjets wagen würde, hatte ich nicht für möglich gehalten. Als Gretel erfahren mußte (noch im Krieg – wir schrieben uns bis zum Kriegsende über Holland, die Schweiz und Schweden), daß die Nazis die meisten ihrer Verwandten ermordet hatten, wollte sie nicht nach Deutschland zurück; in den Jahren der Einsamkeit hatte auch ein tschechischer Offizier der englischen Armee ihren Lebensweg gekreuzt.

In Hitlers Armee hatte ich nur zwei Monate gedient. Bei der Entlassung bekam ich außer wollenem Unterzeug meinen Wehrpaß zurück. In der Rubrik »Qualifikation bei Entlassung« stand: »Geeignet zum Unterführeranwärter.« Weil mit einer Jüdin verheiratet, wurde ich aber nicht mehr eingezogen – seltsame Folge des Rassenwahns. Also konnte ich während eines grausamen Krieges bis zu Hitlers Ende mein Brot wachsam, aber doch meist ungestört als Anwalt verdienen.

So hatte mir die Witwe eines jüdischen Reeders die juristische Sorge um ihren Sohn übertragen. Er war nach damaliger Sprache »jüdischer Mischling ersten Grades«. Einige couragierte Aktionen hatten ihm Haft im Konzentrationslager eingetragen. Seine betuchte Mutter konnte ihn freikaufen. Sie bestach den baltischen Masseur Felix Kersten, der auch Himmler massierte und dessen schwache Momente kannte. Frühjahr 1945 war mein Klient aber erneut auf der Flucht und verkroch sich zu mir in meine winzige Etage in Hamburg-Othmarschen. Er brachte gleich einen aus der Wehrmacht desertierten Verwandten seiner zukünftigen Frau mit. So hockten wir die letzten vierzehn Tage vor der Kapitulation in zwei Zimmern. Die Mitbewohner unter und über uns waren zuverlässig; Verrat brauchten wir nicht zu befürchten. Schräg gegenüber wohnte der NSDAP-Ortsgruppenleiter. Er muß gewußt haben, was sich bei uns abspielte. Aber einmal waren die Nazis in Hamburg nicht ganz so rabiat wie sonst in Deutschland; man war wohl in der »Partei«, aber genierte sich. Und: Das nahe Ende war Mitte April 1945 zu sehen. Da dachten selbst begeisterte Nazis an die Zukunft ohne ihren Hitler.

Die Befreiung kam in Etappen. Der Elektromeister, der im

Kellergeschoß unter mir wohnte, war zu irgendeinem Hilfsdienst eingezogen. Der sollte bei Heranziehen des Feindes die Sprengladungen an den Elbbrücken schärfen. Seine Gruppe mogelte, wo sie konnte. »Nach dem Krieg« wollten sie die Brücken haben. In Bremen gingen die Weserbrücken in die Luft – vor den Augen der verblüfften amerikanischen Soldaten, die schon beide Seiten der Weser besetzt hatten.

Aber siehe da: Der Hamburger Gauleiter Kaufmann – war es ein Rest von Verstand oder hamburgische Bedachtsamkeit? – befal die Entfernung der Ladungen. Es kamen Gegenbefehle von irrsinnigen Militärs, also wurde wieder geschärft; auf Befehl Kaufmanns wieder entschärft; ein paarmal hin und her. Jede Nachricht peitschte die Eingeschlossenen – da merkten wir, daß wir uns bei aller gegenwärtigen Gefahr um die »Zeit danach« Gedanken machten.

Heute staunt man, wie selbst im Dritten Reich die Informationsquellen offenstanden; denen, die sie benutzen wollten. Über die »Feindlage« konnte man sich gut über das Telefon unterrichten. Hatte man Freunde in Wittenberge, Oldenburg, Kassel, Köln, so rief man sie an (das Hamburger Fernamt vermittelte): Ob die Engländer oder Amerikaner schon da seien. Das Telefon funktionierte lange quer durch die Linien. Es war auch in Hamburg »herum«, daß Ende April der Präses der Handelskammer Hamburg durch die Kampflinien die Engländer aufgesucht und vorsichtig Kapitulationsversuche gemacht hatte – offen mit den Briten gegen die Wehrmacht konspirierend. Was eine Woche vorher noch Selbstmord war, war jetzt gerade noch ein bißchen gefährlich. Die Unterhändler berichteten von den zivilen Umgangsformen der Engländer. Die Eingeschlossenen sahen Licht; mit Recht, wie sich später zeigte: Die Engländer waren als Besatzungsmacht vorbildlich. Ohne sie wären wir verhungert.

Von uns Eingeschlossenen konnte nur ich das Versteck verlassen. Mit einem alten Damenfahrrad kreuzte ich durch die Stadt. Jede zweite Wohnung war zerstört. Damals schien mir das der natürliche Preis dafür, daß die Nation sich einem Ver brecher anvertraut hatte. Und die 40 000 Toten der Bombenangriffe 1943? Die Stadt, ängstlich oder freudig gespannt ob der kommenden Veränderungen, schien sie vergessen zu haben.

Die Fabrik in Moorfleet, in der ich »dienstverpflichtet« arbeitete, lag still. Zu essen gab es: Die Stadt wurde später den Engländern mit Lebensmittelvorräten für fünf Monate übergeben. Das erzählten uns Ende April schon die plötzlich redselig gewordenen Ortsamtsleiter – welche Hoffnung also.

Am ersten Mai kam die Nachricht, Gauleiter Kaufmann werde die Stadt »übergeben«; ein verhaßtes Regime also war liquidiert. Auf Rathausmarkt und Gänsemarkt trafen sich ohne Abrede nicht jubelnde, aber höchst vergnügte, um die Zukunft noch unbesorgte Hamburger, eben alles Regimegegner. Aber man war noch vorsichtig. Selbst da sagte niemand öffentlich: »Jetzt sind wir das Schwein Hitler los.« Damit warteten wir, bis wir am dritten Mai die ersten britischen Soldaten sahen.

Die meisten Mitbürger aber hatten bis kurz vor Schluß an einen »Sieg« geglaubt. Bis zur Stunde der Kapitulation hatte ich gegen sie Rachegedanken: Vergeltung für das, was sie den Deutschen und der Welt angetan hatten. Aber dann kamen sie, nach dem Ende des Ausgangsverbotes. Sie saßen in meiner Stube und erzählten, wie sie eigentlich alle »dagegen« gewesen seien. Da vergaß ich (fast) alles und schrieb »Persilscheine«. Wenn sich jemand von mir bestätigen ließ, er sei nie »Nazi« gewesen, dann würde er es jedenfalls nie wieder werden. Meinte ich. Und leben mußten wir ja schließlich mit ihnen.

HELLMUTH BUDDENBERG

Ich will von vorn anfangen

Ich kann mich noch gut an diesen Tag erinnern; es war ein kalter unfreundlicher Morgen, der da über dem Kriegsgefangenenlager vor Remagen heraufdämmerte. Um mich herum die letzten meines Regiments nach der Kapitulation im Ruhrkessel

– Sechzehnjährige, Siebzehnjährige neben den Volkssturmveteranen, hier und da ein alter Obergefreiter, ein Feldwebel und ich selbst. Als kleine Gruppe inmitten von vielen, vielen Tausenden lagen wir hier in der Nähe der legendären Remagener Brücke, über die amerikanische Infanterie und Panzer vor acht Wochen in schnellem Stoß in den Rücken der Front vorgedrungen waren. Da irgendwo im Dunst des Morgens waren die Stadt und die Brücke, war die Freiheit – für uns unerreichbar. Es war ein bitteres Gefühl, im eigenen Land Gefangener zu sein.

Plötzlich, mitten hinein in die Morgengeräusche des Lagers, fielen Schüsse – vereinzelt zuerst, dann lange Feuerstöße aus den automatischen Waffen. Warum schossen die da draußen? Hatten einige von uns ausbrechen wollen? Am Lagertor entstand Unruhe. GIs auf einem Jeep kurvten mit flatterndem Sternenbanner durch das Lager – und ein Megaphon sagte, was zu sagen war: »The German Army has surrendered.« Der Krieg war vorbei. Die Waffen schwiegen endgültig. Waren wir glücklich? Dafür ging es uns zu schlecht. Aber wir waren erleichtert, denn die Sinnlosigkeit des Kampfes hatte in den letzten Monaten schwer auf uns gelastet. Doch nach außen wurde wenig spürbar. Es gab keinen Aufschrei, keine sichtbare Reaktion. Der Jeep drehte seine Runde, fuhr zurück, wir krochen in unsere Erdlöcher, und so dämmerte der erste Friedensmorgen über uns herauf. Das war's; dann hatte uns der triste Lageralltag wieder.

Seit vierzehn Tagen hatte es kaum etwas zu essen gegeben, ein paar Kekse täglich und was man selbst auftrieb. Wir lagen in flachen Erdlöchern, die wir uns mit Löffeln und Händen gekratzt hatten. Zeltbahnen, Decken gab es nicht. Mäntel hatten die wenigsten, wir kauerten in den kalten Nächten dicht gedrängt beieinander. Am schlimmsten traf es die Jungen. Sie konnten weder ihren Körper noch ihre Emotionen »auf kleine Flamme« drehen, wie die alten Landser es in Rußland gelernt hatten; und die konnten sogar noch gemütlich feiern – meinen 21. Geburtstag vor drei Tagen. Sie hatten mir eine starke Brennesselsuppe gekocht, gewürzt mit einem amerikanischen

Brausepulver. Wir haben das Kochgeschirr langsam und bedächtig ausgelöffelt.

Um uns hatte das Sterben seit einigen Tagen aufs neue begonnen – ein doppelt sinnloser Tod, nachdem wir bis jetzt unser Leben gerettet hatten. Die da draußen – Soldaten wie wir – mußten uns doch ein Zeichen geben, daß es jetzt vorbei sei.

Ich dachte an die Gerüchte der letzten Kriegstage: Engländer und Amerikaner würden sich mit uns gemeinsam gegen Rußland wenden. Illusionen der endgültigen Niederlage. Jetzt sahen wir es selbst. Dort standen die Sieger, blank geputzt – hier lagen die Verlierer, grau und abgerissen. Es gab keine Geste des Verstehens. Nur die große Gleichgültigkeit auf der anderen Seite – Angst und Sorge bei uns: Was machen die mit uns, bleiben wir hier, müssen wir über den Atlantik, wo wir doch fast zu Hause sind? Wie lange werden wir warten müssen?

Ich war in den letzten Jahren immer in Bewegung gewesen. Das lag an den Zeitläuften und an mir selbst. Bis zum äußersten angespannt sein, tätig sein – das bestimmte mein Leben. Und jetzt war Pause, nichts bewegte sich. Die alles beherrschende Realität des Krieges war verschwunden. Die neue Wirklichkeit war da, die Stunde Null, und mit ihr kam – gleichsam mit dem erwachenden Tag – ein ganz neuer, fester Wille, sich von der Lethargie der letzten Tage nicht unterkriegen zu lassen.

Es war immer noch da, das Gefühl, im Grunde einen falschen Kampf gekämpft zu haben, das Gefühl des sinnlosen Opfers. Auch die eigene Haltung geriet in die Krise. War es richtig, bis zuletzt auszuhalten? Ich sehe noch meine Mutter, wie sie mich beim letzten kurzen Besuch zu Hause festhielt. Ich kämpfte im Ruhrkessel fast vor der Haustür. Für sie war dieser wahnsinnige Krieg vorbei, der Junge in Sicherheit, wenn er nur wollte. Er brauchte nur hierzubleiben und seine alten Zivilsachen anzuziehen. Ich aber ging zurück; es gab kein Zögern. Hätte man öfter einmal zögern, prüfen, warten sollen in den letzten Jahren? Ich wischte an diesem Morgen auch diese Bilder weg. Ich weiß noch genau, was ich dachte: Wenn ich gesund bleibe, komme ich irgendwie raus. Ich will von vorn anfangen. Jetzt endlich wollte ich über mich selbst bestimmen; immer hatten andere den Weg gewiesen, einen Weg, das fühlte ich, der mit einer unheimlichen Konsequenz genau in dieses Lager geführt hatte.

Wenn es noch irgendeinen Sinn geben sollte, dann den: nach Hause, die Trümmer abräumen, auch die geistigen, etwas lernen und mithelfen, unser Land wieder in Ordnung zu bringen.

Das ging indessen nicht so schnell. Wir wurden doch noch über die Grenze gebracht, nach Frankreich. Bald übernahmen uns die Engländer. Wir kamen zurück nach Deutschland. Ich wurde entlassen, und dann stand ich vor unserem Haus. Es war mit Stacheldraht eingezäunt: militärisches Sperrgebiet der britischen Armee. Aber die Familie war wohlauf. Mich hielt es nicht lange in Bünde. Im November 1945 brach ich auf nach Kiel und begann mein Studium.

JAMES CALLAGHAN
Die Einsichten kamen später

Ich wurde am achten Mai 1945 weder der Ereignisse noch der deutschen Kapitulation gewahr. Zu dieser Zeit diente ich auf HMS »Queen Elizabeth«, einem alten Kreuzer, der bereits an der Schlacht um Jütland im Ersten Weltkrieg teilgenommen hatte. Zwei Tage davor, am sechsten Mai, hatten wir Berichte des Nachrichtendienstes erhalten, daß zwei japanische Kreuzer im Indischen Ozean gesichtet worden seien. Die »Queen Elizabeth« war das Flaggschiff der ostindischen Flotte, die in Trincomalee, Ceylon, heute Sri Lanka, stationiert war.

Als die Nachricht von den beiden japanischen Kreuzern eintraf, brachen wir zu einer Verfolgungsjagd auf, begleitet vom französischen Kampfschiff »Richelieu«, von zwei holländischen Zerstörern und anderen Schiffen. Während dieser Jagd auf die japanischen Kreuzer wurde für die gesamte Flotte Funkstille angeordnet, so daß weder Nachrichten gesendet noch empfangen werden konnten. Am achten Mai befanden wir uns einige hundert Meilen von Ceylon entfernt in der Nähe der Nikobaren, nicht allzuweit von der Küste Burmas. Von der deutschen Kapitulation hörten wir nichts.

Den japanischen Kreuzern war es gelungen, durch die Meerenge von Singapur zu entkommen. Wir machten uns auf den Weg zurück nach Ceylon, wo wir einige Tage später ankamen. Spät genug, um die letzten Feierlichkeiten des HV-E Day (Victory in Europe Day) mitzubekommen. Sie hatten im wesentlichen darin bestanden, daß eine Flasche Bier extra ausgegeben worden war. Die Bierration der Flotte war seinerzeit auf die Hälfte einer Pinte (0,570 Liter) beschränkt worden, was von den Matrosen als besondere Härte empfunden wurde, wenn man das tropische Klima bedenkt. Als wir Trincomalee wieder erreicht hatten, war es uns gar nicht nach Jubeln zumute. Wir empfanden eher Verbitterung darüber, den großen Tag verpaßt zu haben.

Meine Gefühle an diesem Tag? Im Grunde waren wir alle zu sehr mit dem Krieg im Fernen Osten beschäftigt. Tausende von Meilen von Europa und unseren Familien entfernt, machten wir uns kaum Gedanken über die Lage Deutschlands. Zwar wußten wir, daß ein Sieg über Deutschland uns dem Tag unserer Rückkehr näher bringen würde. Und der Gedanke ließ uns nicht mehr los, zumal die meisten von uns den Krieg sowohl in europäischen als auch in atlantischen Gewässern erlebt hatten. Aber im Januar 1945 war die britische Admiralität der Meinung, daß der Krieg in Europa ohnehin in Kürze beendet würde, und sie begann – konsequenterweise –, ihre Schiffe in den Fernen Osten zu schicken, um unsere Anstrengungen im Indischen und Pazifischen Ozean zu verstärken. Trincomalee war nur ein Auffanghafen auf dem Wege nach Australien. Hier sollten wir auf die britische Flotte des Pazifiks stoßen.

Wir meinten damals, daß wir zusammen mit den Amerikanern die Japaner notwendigerweise von jeder Insel im Pazifik zwischen Australien und Japan verdrängen müßten. Alle waren fest davon überzeugt, daß die Japaner nie kapitulieren würden, solange wir das japanische Hauptterritorium nicht erreicht hätten. Wir waren nicht gerade begeistert von dieser Aufgabe. Die Männer waren der endlosen Kämpfe seit 1939 müde. Wir alle wollten zurück zu unseren Familien.

Ich habe die ostindische Flotte einige Wochen nach dem achten Mai verlassen, da eine allgemeine Wahl angesagt war und ich als Kandidat der Labour Party nominiert wurde. Ich wurde in meinem Wahlkreis in Südcardiff gewählt und gewann 1945 den Sitz im Parlament, den ich bis heute ununterbrochen behalten habe. Meine Schiffskameraden haben mich damals um meine Rückkehr nach Großbritannien beneidet. Sie glaubten, daß ich nach kurzer Zeit wieder bei ihnen sein würde.

Über die Position Deutschlands und die Demütigung des Kontinents begann ich nachzudenken, als ich mich vom japanischen Krieg losgelöst und meinen Sitz im Parlament im Juli 1945 eingenommen hatte. Diese Gedanken verstärkten sich im Dezember 1945, als die britische Admiralität mich einlud, die Royal Navy bei einem Freundschaftsbesuch durch die Sowjetunion zu repräsentieren. Unsere Reiseroute führte über Berlin. Ich verbrachte dort einige Tage und sah, welche massive Zerstörung unsere Royal Air Force dieser Stadt zugefügt hatte und welches Leid den Stadtbewohnern zugefügt worden war. Sicherlich hatte sich ähnliches auch auf britischem Boden abgespielt: Zum Beispiel in Coventry und dem East End von London. Ich sah auf dieser Reise auch die grauenhafte, schreckliche Zerstörung der russischen Städte wie Kiew und Stalingrad.

All dies ließ mich zu dem Schluß kommen, daß es nie wieder einen neuen Krieg in Europa geben darf. Meine Meinung wurde einige Jahre später bestärkt, als ich zu den britischen Delegierten gehörte, die am ersten Treffen des europäischen Rates in Straßburg teilnahmen. Ich begegnete dort zum erstenmal auch deutschen Delegierten und begriff, daß Europa auf der Basis französisch-deutscher Verständigung und Freundschaft aufgebaut werden müßte, eine Einsicht, von der ich mich seitdem nie mehr entfernt habe.

Nicht der einzige Termin

Wir zwei gehören offenbar zu einer Minderheit: zu denen, die sich nicht mehr genau daran erinnern können, wo und wie sie die Nachricht der Kapitulation der deutschen Streitkräfte, also die Nachricht vom endgültigen Kriegsende, erreicht hat. Waren wir gedankenlos und herzlos? Wir hoffen, nicht so sehr! Gewiß werden wir auch den achten Mai nicht teilnahmslos verbracht haben. Aber das Ende des schrecklichen Krieges war für uns damals schon so gründlich erlebt und durchdacht, daß dieser besondere Termin der förmlichen Kapitulation uns nicht mehr so erregen konnte, daß wir uns erinnern können: es war soundsoviel Uhr, es war auf der X-Straße, als wir die Nachricht hörten.

Wir lebten in Frankfurt auf dem Sachsenhauser Berg in einer Art Siedlung, also keineswegs inmitten der Trümmerberge der großen Stadt. Wir waren seit vier Jahren verheiratet und freuten uns unserer dreijährigen Ältesten und ihrer einjährigen Schwester. Fünf Monate vorher hatte ich, der Vater, als nachts die Bomber offenbar abgedreht hatten, im Keller nach einem Erkundungsgang in die Wohnung den denkwürdigen Ausspruch getan: »Das Haus steht noch, das ist aber auch alles.« Die Wand zwischen dem Schlafzimmer und dem Wohnzimmer hatte sich aufs Kinderbett gestürzt, die Treppe war gerade noch erklimmbar. Wir wußten also schon aus eigenem Erlebnis und wegen unseres sonstigen natürlichen Anteils an den Schrecken und Ängsten, wie herrlich, wie umwerfend großartig es war, daß der Krieg zu Ende war. Nur: das, ja: zwei Kriegsenden hatten wir schon etwas früher erlebt. Das erste Ende ereignete sich, als deutsche Soldaten auf der Flucht durch die Siedlung kamen und als in Frankfurt die SS zum letztenmal über den brückenlosen Main hinweg nach Sachsenhausen herübergeschossen hatte, das schon in amerikanischer Hand war.

Noch endgültiger schien der Krieg hinter uns beiden zu liegen, als ich, der Vater, am 21. April von einem alten politischen

Freund und in der Diktatur bewährten Kameraden, den die Amerikaner vernünftigerweise zum kommissarischen Leiter des Landesarbeitsamts Hessen ernannt hatten, als Personalreferent dieser Behörde eingesetzt wurde.

Am achten Mai lagen also zweieinhalb Arbeitswochen, erregende Aufbauwochen hinter uns. Hier und da gab es noch Szenen mit Nazi-Angestellten, wichtiger aber waren Besprechungen mit alten zuverlässig antifaschistischen Gewerkschaftern, Zentrumsleuten oder Sozialisten, die uns fähig erschienen, die von den Nazis durchweg eilig geräumten Chefzimmer der Arbeitsämter des Landes Hessen zu übernehmen, um in den Städten des Landes die demokratische Arbeitsverwaltung so rasch wie möglich in Gang zu bringen.

Die Arbeit in Gang zu bringen, das war ganz und gar Friedensarbeit, und wer in ihr lebte, fühlte, diskutierte, entschied, der fand in sich selbst den Krieg bereits gründlich erledigt. Er fieberte der Zukunft entgegen. Das vor allem mag es verständlich machen, daß das große Ereignis vom achten Mai für unsere Existenz und für unser Bewußtsein keinen totalen Einschnitt mehr gebildet hat.

Sicherlich hat unser politisches Weltbild dabei eine Rolle gespielt. Als Christen, aber auch als kritischen Schülern der marxistischen Deutung der Gesellschaftsgeschichte war uns die faschistische Diktatur sogar in den Zeiten der militärischen Erfolge Hitlers als eine Ausnahme erschienen, die durch ihren Widerspruch zur realen Gegenwart im Bereich unserer Zivilisation sozusagen durch ihren »Ungehorsam« gegen Gott und gegen die Geschichte zum Untergang verurteilt war. Der Faschismus erschien uns also als ein böser Zwischenfall und auch in seinen scheinbar moderneren Zügen als ein schlimmer Rückfall. So wie wir 1933 und 1934 gesagt haben: »Hitler, das ist der Krieg!«, so hatten wir 1939 gesagt: »Der Krieg, das ist Hitlers Ende«; seit dem Überfall auf Rußland war dieses Ende sogar abzusehen, noch greifbarer nach Stalingrad und den alliierten Landungen. Auch in dieser Sicht waren die formalen Unterschriften des Mai 1945 zwar sehr wichtige Ereignisse, notwendige sogar, aber sie waren durchaus nicht von entscheidender Bedeutung. Sie gehörten zur Vergangenheit. Natürlich fragten wir uns hinterher und heute, ob sich uns nicht der Tag, da doch an allen Schauplätzen des Krieges in Europa das Töten aufhörte, doch als ein ganz besonderer im Gedächtnis hätte festsetzen müssen. (So wie der 20. Juli: Ich sehe mich noch an diesem Tag an der Straßenbahnhaltestelle stehen, als ich aus einer Gruppe Wartender neben mir sprechen hörte: »Auf den Führer haben sie ein Attentat gemacht . . .«)

Aber da sind noch zwei Bestandteile unserer damaligen Existenz zu nennen, Elemente einer gewichtigen und tragenden Kontinuität, die in unserem Werktag (und Sonntag) und in unserem Bewußtsein sich gegen den faschistischen Irrsinn und gegen den Wahnsinn des Krieges behaupten konnten. Man könnte von zwei besonderen Formen des »Widerstandes« sprechen. Dann müßte man aber das Wort Widerstand anders als im üblichen Gebrauch so fest, aber doch auch so passiv nehmen, wie der Wortteil »Stand« das im Grunde ja nahelegt. Was die aktiven Widerständler gewollt und zu unser aller Heil zu tun versucht haben, war ja kein »Stand«, kein Stehen und Bestehen, sondern ein kräftiges Vorangehen, ein Ausbruch aus dem Bestehenden, ein »Widerspruch«, der zur ändernden Tat führen sollte.

Bezeichnet man das, von dem ich rede, als »passiven Widerstand«, so bedeutet das rein sprachlich eine Tautologie: Wider-Stand ist seinem Wesen nach passiv; andererseits ist diese passive Haltung nicht immer schwach, sondern zuweilen auch stark; auch enthält sie ihre Risiken, und sie konnte, wenn die Diktatur in den Zu-Stand direkt eingriff, zur Gegenwehr führen. Griff der Anspruch der faschistischen Gewalt den Bestand gefährlich an, so konnte aus der Passivität Aktion werden. Aber es hilft alles nichts: Passiv ist dieser Widerstand dadurch, daß er nicht von sich aus die Energie zu einer Strategie und Aktion der Beseitigung der Diktatur aufbrachte.

Was war unser Zu-Stand, unser »Stand«? Wir waren zunächst eine sehr intime und auf ihrer Intimität bestehende Fa-

milie, in die wir Hitler und Goebbels nicht hineinschreien ließen. Unsere Ehe hatte erst während des Krieges begonnen. Die
erste Begegnung fand nicht zufällig in einem Kreis eindeutiger
Gegner des Nationalsozialismus statt, im November 1940 nach
dem Doppelereignis der Niederwerfung Frankreichs und des
Scheiterns der Invasionspläne gegen England. Wir heirateten
1941, also nach jenem Anfang vom Ende, als Hitler in törichter
Verkennung seiner Möglichkeiten napoleonisch in Rußland
einfiel. Die Liebe war jung und stark, und was die beiden Kinder betrifft, so schlossen sie die Gruppe der vier vollends zu
einer kleinen Oase zusammen. Auch am achten Mai muß das
Wohlbefinden der Jüngsten und der stillenden Mutter für den
Vater auf ganz andere und eigene Weise wichtig gewesen sein
als das, was wir aus dem Rundfunkgerät erfuhren. »Das Leben«
ging weiter: eine junge Phase neuen Lebens.

Wir denken, daß solcher Widerstand der kleinen Gruppe, die
sich nicht vereinnahmen läßt, vor allem gerade auch der intak-
ten Kleinfamilie, zuweilen auch der Großfamilie, gar nicht
hoch genug eingeschätzt werden kann. Sosehr dieser Widerstand versagte, wenn es um gezielte Gegenaktionen ging, so
sehr er den Willen zu solcher aktiven Gegenwehr geradezu
schwächen konnte – die andere Seite der Medaille! –, so sehr
half er die Substanz des deutschen Volkes bewahren.

Die andere Oase der Kontinuität und des Widerstehens war
die christliche Gemeinde. Wenn am Sonntagmorgen wir Ka-
tholiken aus der Frühmesse in die Siedlung zurückkamen, begegneten uns zuweilen die Gruppen derer, die mit dem dicke-
ren Gesangbuch zum evangelischen Hauptgottesdienst unterwegs waren; dann, so spielte es sich ein, grüßte man einander
– auch wenn wir uns nicht persönlich kannten – besonders
freundlich. Wir kamen aus einem Raum, und sie gingen zu einem Raum, in dem eine Stunde lang nicht die Sprache des Un-
menschen laut wurde, sondern das Wort der christlichen Botschaft. Das war ein ökumenisches Kleinereignis vor der geziel-
ten ökumenischen Bewegung: ein Ereignis im Zeichen des Widerstehens gegen Hitler.

GÜNTER DÖDING

Drei Hühnereier gleich ein Parteiabzeichen

Seit dem vierten April 1945 kann ich die Frage britischer Soldaten beantworten, wie weit es noch von unserem ostwestfälischen Dorf nach Berlin ist. Und seit dem achten Mai weiß ich auch, daß man einen SA-Dolch für einhundert und ein Parteiabzeichen oder drei Eier für zehn englische Zigaretten eintauschen kann. Daraus folgt: drei Hühnereier gleich ein Parteiabzeichen; dieses Symbol von Macht und Ansehen ist nicht mehr wert – und in einem Dorf weiß man ja, wieviel Abzeichen es gibt.

Befehle der Militärregierung sind nun endgültig, denn Großadmiral Dönitz hat kapituliert. Was ist Kapitulation? Wald von Compiègne 1918? Diese Schmach sei ausgetilgt durch den Führer? Nach seinem Tod wird sein Erbe so vertan?

Nun helfen die »Alten« dem Vierzehnjährigen; Vater erklärt, was »wehrunwürdig« war und daß er deshalb zu Hause ist; er erzählt, daß der Ortsgruppenleiter und auch der Kreisleiter längst »abgehauen« sind und daß der von uns Jungs so hoch geachtete Heldentod nur Tränen und Elend für die Nächsten heißt; was für einen Sinn es denn wohl habe, daß sein Freund Heinrich nun ohne Hände sei; und die Pfaffen ein Gesindel, das noch nach dem Einmarsch der Briten für den Führer gebetet hat; daß in der Kreisstadt noch vor dem Kriege einige Leute »fürn Appel und'n Ei« den Juden alles weggenommen haben – das gelte auch für seinen Arbeitgeber. Die Juden haben niemandem etwas zuleide getan.

Er habe mit mir darüber nicht sprechen können, weil ich Spaß am DJ-Dienst (Deutsches Jungvolk) gehabt und er meine Idealisierung dieses »Vereins« gemerkt habe.

Nun sei die Zeit der »Goldfasanen« vorbei, und die Briten würden sich hoffentlich anständig benehmen.

Das beste nun: in den Wald, für die Muna (Munitionsanstalt Espelkamp) ist allerhand Birkenholz gestapelt, und damit sollten wir mal für unser Heizmaterial sorgen. Zeit hätte ich ja, die

Schulen sind weiterhin geschlossen, die meisten Lehrer NS-Mitglieder gewesen. Und ich sollte dann mal sehen, ob ich nicht beim Tommy Arbeit kriege. Und abends auf die Polen (zwangsverpflichtete Ostarbeiter) aufpassen, die klauen und prügeln, und bei Oma und Opa im Moor seien sie schon gewesen.

Kann ein Vierzehnjähriger das alles verdauen? – Muß wohl. Geschadet hat die »Sturzflut« nicht. Das Sortieren im Kopf war schwierig.

Andere Spielkameraden, Gleichaltrige fragen? Ja, einige erzählten, daß es im Dorf Kommunisten gebe, die »gesessen« hätten, und die würden nun die Macht übernehmen.

Das muß was Schlimmes sein.

Vater sagt auf Befragen nein – aber brummt vor sich hin und sagt auch nichts Positives.

ALFRED DREGGER
Stenogramm

Am achten Mai 1945, dem letzten Tag des Krieges, habe ich mit meinem Bataillon die Stadt Marklissa in Schlesien verteidigt. Über die Lage waren wir nur unzureichend informiert. Der Regimentskommandeur hatte die Hoffnung verbreitet, nach dem Tode Hitlers und der Ernennung eines Soldaten zum Reichspräsidenten sei ein Abkommen mit den Westmächten denkbar, das die Auslieferung Ost- und Mitteleuropas an die Sowjetunion verhindere. Als uns die Kapitulation um null Uhr auch diese letzte Hoffnung nahm, hat das Bataillon sich aufgelöst. Wir versuchten, in kleinen Gruppen der Gefangenschaft zu entgehen und die Heimat zu erreichen. Dabei wurde ich am neunten Mai in Melnik an der Elbe von Tschechen angeschossen. Es war meine vierte Verletzung. Ich geriet zunächst in tschechische und dann mehrfach in sowjetische Hand, konnte aber durch eine Verkettung glücklicher Umstände immer wieder entkommen und schließlich ein Lazarett in meiner Heimat

Soest in Westfalen erreichen. Dort wurde ich aus britischer Kriegsgefangenschaft entlassen und konnte im Sommersemester 1946 mein Studium in Marburg an der Lahn aufnehmen.

INGEBORG DREWITZ
Nicht einmal Zeit, aufzuatmen

Berlin hatte am zweiten Mai kapituliert. Überall an den Straßenecken – genauer, an den Ecken, wo einmal Straßen zusammengetroffen waren – standen die Anschlagbretter, auf denen zu lesen war: »Die Hitler kommen und gehen, aber das deutsche Volk, der deutsche Staat bleiben bestehen – Stalin.« Von der Kapitulation erfuhren wir durch einen Malermeister, der ein Detektorradio besaß. Also endgültig Schluß, spät genug!

Wir hatten nicht einmal Zeit, aufzuatmen, denn wir standen die halben Tage an den Wasserpumpen, um Trinkwasser zu holen, immer in Sorge, daß die Pumpe nichts mehr hergeben würde, wenn wir endlich an der Reihe sein würden. Wir huschten morgens vor dem Ende der nächtlichen Ausgangssperre durch Höfe und über Ruinengrundstücke hinweg zu dem einen oder anderen Bäcker, von dem es hieß, er habe noch Mehl oder habe schon Mehl. Wir mußten aufpassen, keinem der Posten zu begegnen, die ja den Befehl hatten zu schießen.

Die Nachrichten von Plünderungen liefen um, erstaunlich, was alles in den Lagern sein sollte! Wir waren viel zu ungeschickt, um Öl und Fleisch und Butter und Kunsthonig heimzubringen. Schlimmer, wir ekelten uns, wie sie die Dauben von den Fässern einschlugen und das Öl in den Rinnstein fließen ließen, weil ihre Eimer überliefen, und sie in den Rinnstein pißten und sich erbrachen. Wenige Tage vorher waren hier noch junge Soldaten an den Laternen aufgehängt worden, mit Pappschildern um den Hals, die sie als Deserteure brandmarkten, und die Toten der Schlacht waren kaum mit Erde zugedeckt in den Vorgärten und Parks, der Zweig mit der Erkennungsmarke lose in der Erde, und Mütter und Frauen und Mädchen gingen suchend von Straße zu Straße.

Nein, wir hatten keine Zeit, aufzuatmen, denn überlebt hatten wir noch nicht. Der Sommer der Seuchen, die Winter der Erfrierungen standen uns noch bevor, aber das wußten wir nicht und hatten auch keine Zeit, uns davor zu fürchten, denn es ging um den nächsten Tag, um Feuerholz, um Wasser, um Rüben oder Kartoffeln, um Brot womöglich. Lebensmittelkarten wurden erst wenige Tage nach dem achten Mai verteilt, die Armeelastwagen hielten vor den heruntergelassenen oder zersplitterten Rolläden der ausgeplünderten Geschäfte, während schon Hunderte warteten, daß die Tür geöffnet würde und sie eindringen konnten, und nur vor dem bewaffneten Begleiter des Transports zurückwichen. Die Lieferung würde kaum für alle Lebensmittelkartenbesitzer reichen, aber auch das würde so bleiben, Jahre und Jahre lang: das Anstehen nach Grundnahrungsmitteln.

Am achten Mai wußten wir davon noch nichts, aber auch nichts von den Kampfhandlungen der letzten Kriegstage. Es würde Monate dauern, ehe uns Nachrichten aus dem Westen erreichen sollten – die erste Post im November 1945 –, und es würde Jahre dauern, ehe alle Toten und Vermißten aufgelistet sein würden, ehe die letzten Kriegsgefangenen heimkehren würden. Aber der achte Mai war ein Tag wie jeder andere Tag in diesem Mai, unvorstellbar blauer Himmel über den trümmerübersäten Straßen, den abgeblühten Kastanien. Die Straßenbahnwagen noch umgekippt, die Barrikaden bis auf schmale Durchgänge noch nicht weggeräumt, um die Pferdekadaver herum immer fünf, sechs Menschen, die sich das Fleisch mit Taschenmessern heraussäbelten, an den Löschteichen immer welche, die das schmutzige Löschwasser schöpften, über die Mülltonnen gebeugt die, die nach Eßbarem suchten, von Fliegen umschwärmt.

Vater hatte eine Frau beerdigen helfen, die eines natürlichen Todes gestorben war und von der Familie, in ein Laken gehüllt, weggeschleppt wurde. Das Tuch war jedoch unter der Last gerissen. Zum Graben hatten sie eine Schaufel aus dem Luft-schutzkeller und ihre Hände. Der Kirchhofwärter hatte dabei-gestanden und nicht gewußt, ob das erlaubt war.

Der achte Mai war ein Tag wie jeder andere Tag in diesem Mai. Die Russen, deren Offiziere in den großen Wohnungen untergebracht worden waren, sangen laut und trunken, die Pa-pirossystumpensammler umkreisten gebückt die Quartiere; andere wußten, daß die Mannschaften Brotkanten verschenk-ten, und wie süß das russische Brot ist! Gerüchte gingen um, daß die Schulen demnächst geöffnet werden sollten, ein Radio-programm aus dem Sender in der Masurenallee ausgestrahlt werden und ein zu wählender deutscher Magistrat die Ge-schicke der Stadt übernehmen würde.

Beim Anstehen nach Wasser hatten wir erfahren, daß die Wasserversorgung demnächst wieder in Ordnung kommen sollte. Und wie schon am Tag vorher und am Tag nachher hat-ten wir von den Tausenden Ertrunkenen im S-Bahn-Tunnel unter der Stadt erfahren. Auf Gas würden wir noch warten müssen, weil so viele Zuleitungen zerstört waren. Und Sach-senhausen wäre jetzt Lager für die Nazis von den mittleren Chargen aufwärts. Gerüchte als Nachricht.

Wir hatten die Jungen und die alten Männer vom Volkssturm in die Kriegsgefangenschaft ziehen sehen, die Kaiserallee (später Bundesallee) entlang. Morgens in der verbotenen Zeit auf dem Hof hinter der Bäckerei flüsterten die Frauen, daß Hitler ent-kommen sei, nach Argentinien, und wollten nicht glauben, daß Goebbels sich und »all die Kinderchens« umgebracht hatte. Und die aus den KZs kamen, noch in kleinen Gruppen und in dem ge-streiften Zeug, mußten sich Beschimpfungen anhören oder mit-ansehen, wie auf sie gezeigt wurde. Aber das war ein paar Tage später, denn die Wege auf die Stadt zu waren noch von Truppen und von den Resten der Panzerschlachten verstopft.

Der achte Mai war ein Tag wie jeder andere in diesem Mai. Kaum, daß wir Kraft zum Hoffen hatten. Nur die Müdigkeit war endlich erlaubt. Und: So einen Krieg würde es ja wohl nie wieder geben, sagte meine Mutter.

FREIMUT DUVE

Heil Dönitz oder Apriltage an der Chaussee

Eine Landstraße – vorstädtisch, die Großstadt geht über ins Ländliche. Auf der einen Seite das Heim, Einfamilienhaus – im Garten Hühner- und Kaninchenstall. Gegenüber der letzte Bauernhof. Ein kleines Kinderheim. Die Straße heißt Langenhorner Chaussee – etwa einen Kilometer vor der Nordgrenze Hamburgs.

Eine Gruppe dürrer Menschen in Schlafanzügen kommt die Straße von Norden her herunter. (Vor dem Kinderheim gibt es in meiner Erinnerung eine sanfte Neigung der Straße.) An der Seite des Menschenzuges gehen Uniformierte mit Stahlhelm und Gewehr. (Später lernte ich »Gewehr im Anschlag«.)

Ich gehe durch das hölzerne Gartentor über die Straße, laufe neben der Kolonne her und frage den Soldaten: »Was haben die getan?« Ich werde von ihm, nicht unsanft, mit dem Gewehr weggedrängt. (Später lerne ich, daß es die SS war.) »Geh weg«, er schubst mich zurück. Einen der Gefangenen sehe ich bis heute neben mir. Klapperdünn, einen Moment sieht er mich an. Die Leute schlurfen weiter.

März oder April 1945. Die letzten Außenlager des KZ Neuengamme wurden aufgelöst, auch das in Langenhorn.

Nach diesem Zug der Gefangenen zogen die Ereignisse auf der Straße vorbei – Soldaten von Norden aus Dänemark, Soldaten vom Süden.

Ende April 1945: Die Heimleiterin ruft uns in den Flur, stellt sich auf die Treppe: Adolf Hitler ist gestern gestorben, Dönitz ist Reichspräsident. Das war die erste »politische« Ansprache meines Lebens. Wir waren Trümmer- und Flüchtlingskinder. Adolf Hitler tot? Ich reagiere prompt, recke den rechten Arm hoch und rufe »Heil Dönitz«. Wenn auf der Straße jemand kam, marschierten wir entgegen: Heil Dönitz, und lachten ihn aus.

Mit »Heil Dönitz« hatten wir die ganze Wort- und Klangmagie durchbrochen, die unser Kinderleben begleitet hatte. Bei meinem Großvater im Büro war ich wieder aus dem Flur gewiesen worden, wenn ich mit »guten Tag« in die Tür kam. Heil Hitler – der befohlene Gruß, mit dem wir aufgewachsen waren.

Aber »Heil Dönitz« dauerte nur wenige Tage. Dann kamen die Soldaten aus Jütland in langen Lastwagen- und Tankschlangen die Chaussee runter. Der Kopf der Schlange hielt bei uns, sie reichte bis zum Ochsenzoll, bis über die Stadtgrenze.

Auf der Straße gab es Blockschokolade; woher diese Soldaten all die Schokolade hatten. Schokolade, drei Tage vor Kriegsende. Da kriegtest du einen ganzen Block, so groß wie Ritter-Sport heute. Meine erste Schokolade.

Am nächsten Morgen war die Schlange weg. Hatte sich irgendwo aufgelöst. Die waren vielleicht noch durch Hamburg über die Elbbrücken gekommen und dann in Gefangenschaft. Die Chaussee war wie leergefegt. Dann kommt der Ochsenzoller Polizist aufgeregt zu Frau Krohn, unserer Heimleiterin. Da haben sich so ein paar Verrückte eingegraben, kurz vor dem Eingang zur Anstalt Langenhorn.

Ich erinnere ihn als alten Mann. »Die haben sich eingegraben, diese HJ-Lümmels, mit Panzerfäusten.« Gauleiter Kaufmann hatte Hamburg übergeben wollen, alles war für die stille hanseatische Kapitulation vorbereitet, und nun diese Werwölfe, fünfhundert Meter von unserem Heim entfernt. Er ist dann tapfer hin und hat sie mit seiner Dienstpistole verjagt. Sie konnten wohl schwerlich mit ihren Panzerfäusten auf den alten Polizisten los, andere Waffen werden sie nicht gehabt haben.

Viel Aufregung in den ersten Maitagen an der Chaussee. Der Tag mit Ausgehverbot. Niemand darf auf die Straße. Damals hörte ich im Radio das Wort »zuwiderhandeln« zum erstenmal. Und es betraf mich. Zuwiderhandeln?

Das Haus zitterte. Frühmorgens dröhnten die Panzer die Chaussee hoch, diesmal von Süden nach Norden. Sie hatten schon ganz Hamburg erobert, und nun dröhnten sie im letzten Zipfel. Unsere Zahnputzbecher dröhnten mit, Trinkbecher in der Küche summten mit. Wir drückten unsere Nasen platt an der Scheibe vom Badezimmer. Die Panzer waren dunkelgrün, ganz anders als die Panzer, die wir kannten. Oben in den offenen Turmluken die ersten Feinde!

Einmal hatte ich einen von weitem gesehen, der hinter Iserbrook abgeschossen worden war, 1943. Abgesprungen, leicht verletzt und dann unter Johlen abgeholt. (Von Soldaten aus dem Blankeneser Fliegerhorst.) Der lag still im Gras, vertüttelt mit seinem Fallschirm. Die Leute drum herum. Aber jetzt donnerten sie durch unser Badezimmer. Einer immer in der offenen Luke – die hatten knallrote Gesichter! Indianer schrie ich, Rothäute. Es gab Menschen mit rotem Kopf. Indianer. Also waren das Leute aus Amerika, und in Amerika lebten die Indianer. Vergessen Heil Dönitz: »Wir gehören jetzt zu Amerika«, erklärte ich den Kindern, und die Treppe runter, durch die Küchentür in den Schuppen. Dort mußte ich mich erst heimlich halten, dann nach vorne an die Gartentür.

Absolutes Ausgehverbot. Zuwiderhandelnde. Ich dreh' mich um. Inzwischen waren die Heimleute an allen Fenstern, unten am Eßzimmerfenster, oben an den Badezimmerfenstern, Schlafzimmer, überall Kinder und Frau Krohn und die Kindermädchen, alle hatten plattgedrückte Nasen, wildes Winken und Grimassenschneiden. Aber kein Ton aus dem Haus. Ich dreh' mich um zur Straße, da saust in all dem Panzergedröhn, da müssen schon an die zweihundert vorbeigedonnert sein, da saust ein grüner Kleinlaster mit vier Leuten auf das Gartentor zu. Hält. Der Soldat neben dem Fahrer winkt.

Ich bin ängstlich, immerhin Feinde, wie die in den Bombern, die Briten? Nichts mehr von Inschis (wie wir die Indianer nannten). Tommys waren das, weiße Gesichter und ziemlich streng. Hinter dem Fenster Frau Krohn, bleich und keine Bewegung mehr, Schluß mit Winken. Eins der Kinder ging da verloren, denn die würden den Jungen natürlich mitnehmen. Später sagt sie, sie hätte schon mit dem Schlimmsten gerechnet. Ich also raus aus der Gartenpforte, zu dem offenen grünen Wagen (später lernte ich das schöne Wort Schiep, noch später Jeep). Die hatten eine große Landkarte und reden auf mich ein, schnell und freundlich, und zeigen immer auf die Karte. Ich verstehe nichts, ich erkenne nichts auf der Karte, ich merke nur: kein Erschießen, sondern freundliche Gesichter. Ich gucke zurück, immer noch die Plattnasen an den Fenstern. Ich beuge mich auch über die Karte. Sieht aus wie Opas Heidewanderkarte, ich streiche ein paarmal mit den Fingern darüber. Der erste Kontakt mit der Besatzungsmacht. Der Jeep fuhr weiter. Frau Krohn hat mich nicht gelobt, sie hat geschimpft.

Das ist die Erinnerung, wie ich sie im Kopfe habe. Da ist aber noch mehr. Seit diesem Mai 1945 hat sich in mir etwas festgebissen. Eine Erwartung: Jetzt geht irgend etwas los, jetzt fängt etwas Neues an. Bis heute hat mich dies nicht verlassen. Eine Erwartung zwischen mir und der Tageswirklichkeit. Etwas ganz anderes.

Alle Bilder lösen sich nach und nach in Bedeutung auf, in Begriffe, in Verstehen. Das Ende der Außenlager von Neuengamme. SS-Soldaten auf der Langenhorner Chaussee. Viele Jahre später, 1983, treffe ich in Tel Aviv die Frau von Arie Eliav. Sie sei zum Schluß im KZ irgendwo in Langenhorn gewesen, im Norden Hamburgs, ja, sie sei eine Landstraße heruntergetrieben worden.

Drei, vier Tage nach dem Ausgehverbot laufen wir zum Bahnhof Ochsenzoll. Ein Mann kommt entgegen, wir weichen ihm rechts aus. Wir haben es eilig, er rührt sich nicht. »Nazischweine«, schreit er, »Nazischweine, jetzt ist Linksverkehr.« Die neue Ordnung. Ich hatte gemeint, wir würden nun Indianer, er hat gemeint, wir könnten uns von der Vergangenheit lösen, wenn wir die britische Verkehrsordnung übernehmen.

Jenseits meiner Beschreibungsmöglichkeit

Ich muß gestehen, daß der achte Mai 1945 für mich damals weniger bedeutete, als es heute erscheinen mag. Der Tag meiner eigentlichen Befreiung war der elfte April in Buchenwald. Nach mehr als dreijähriger Haft. Das erste Jahr hatte ich in zahlreichen Gefängnissen und Konzentrationslagern in Norwegen verbracht, die mir damals grausam und unerträglich erschienen, die aber, verglichen mit meinen späteren Erfahrungen, einen fast unglaublichen Glanz von paradiesischer Ruhe und unbeschreiblichem Wohlergehen erhalten haben. Der Aufenthalt in Auschwitz liegt jenseits meiner Beschreibungsmöglichkeit. Nur ein Dichter wie Elie Wiesel ist vielleicht imstande, das Grauen und die Tragödien dieses Lagers mit seiner extremen Erniedrigung und Unmenschlichkeit wenigstens annähernd zu beschreiben.

Auch über den Marsch aus Buna-Auschwitz im Januar 1945, den Transport nach Buchenwald in offenen Eisenbahnwagen und den Aufenthalt im desorganisierten und überfüllten »Kleinen Lager« in Buchenwald kann ich nur in Andeutungen schreiben. Die desperaten Versuche der SS-Leitung, die Insassen aus Buchenwald ins Ungewisse zu transportieren, und die fast aussichts- und hoffnungslosen ständigen Aktionen der Häftlinge, diese Versuche zu sabotieren, um so viele Häftlinge wie eben möglich im Lager zu behalten, steigerten die Spannung während der letzten Tage Buchenwalds zu einem fast unerträglichen Zustand. Diese Spannung schwand erst, als wir über Lagerradio den Befehl an die Wachtposten hörten, ihre Wachttürme zu verlassen, und als wir vom Hügel in Buchenwald die flüchtenden SS-Soldaten beobachten konnten.

Die Ankunft der amerikanischen Truppen, deren Übernahme des Lagers – besonders aber die Übersiedlung des »Häftlingkrankenbaues« in die SS-Kasernen – bedeuteten für mich, daß ich wieder als Arzt arbeiten konnte. Die Kriegsereignisse glitten etwas in den Hintergrund. Wir bekamen Medikamente und Lebensmittel zur Verfügung, konnten endlich unsere Kranken halbwegs anständig betreuen. Diese Tatsache überschattete für mich damals alles andere, jedenfalls für kurze Zeit.

Ich war der älteste einer kleinen Gruppe von fünf norwegischen Juden, die in Buchenwald geblieben und nicht von der Aktion des schwedischen Grafen Folke Bernadotte erfaßt worden waren, der bei Himmler die Befreiung aller anderen skandinavischen Häftlinge erreicht hatte. Wir glaubten damals, die letzten Überlebenden der deportierten norwegischen Juden zu sein. Es zeigte sich jedoch, daß noch sieben andere überlebt hatten. Wir folgten, so gut es möglich war, den Nachrichten aus London über die Schlußentwicklung des Krieges. Unser Interesse konzentrierte sich auf die Frage, ob die deutschen Truppen in Norwegen kapitulieren würden oder den mörderischen Krieg fortsetzen wollten.

Der achte Mai begann wie jeder andere Arbeitstag im Krankenhaus. Am Nachmittag saßen wir fünf wie gewöhnlich in meinem kleinen »Ärztezimmer« und hörten die norwegischen Nachrichten aus London, erfuhren von der endgültigen Kapitulation. Wir hatten fast einen ganzen Monat in Freiheit gelebt, in einer eigenartigen Art von Freiheit, in Buchenwald. Wir hatten es ausgekostet, das erste unbeschreibliche Gefühl des Freiseins, die Tatsache, daß wir über uns selbst bestimmen konnten. Wir hatten uns immer wieder davon überzeugt, daß wir stehenbleiben durften, wo wir wollten, und daß wir gehen durften, wann wir wollten; daß kein Wachtposten neben uns auftauchte und daß wir nicht ununterbrochen in der Gefahr waren, geprügelt und angepöbelt zu werden. Wir hatten uns daran gewöhnt, daß man wieder »Sie« zu uns sagte und daß wir uns einer normalen und anständigen Sprache bedienen konnten. Wir begannen uns auch daran zu gewöhnen, daß der Krieg auf irgendeine Weise für uns vorüber war. Viel weiter konnten wir in dieser Phase nicht denken. Selbstverständlich waren wir auf den Schluß gespannt, aber trotz dieser Spannung wirkte alles fern und unwirklich.

Wir saßen also und hörten die Nachrichten, in denen über die endgültige Entscheidung berichtet wurde. Unsere Freude war beherrscht. Nicht nur, weil die wirkliche und entscheidende große Veränderung in unserem Leben schon vor einem Monat eingetreten war, nicht nur, weil wir uns langsam daran gewöhnt hatten, frei zu sein. Der Krieg war für uns vorüber. Wir fühlten, daß wir der Wirklichkeit nicht mehr würden ausweichen können. Die bitteren Realitäten unseres neuen Lebens, das wir so unerwartet zurückbekommen hatten, begannen, sich langsam, aber sicher geltend zu machen. Die Bewältigung erschien uns zunächst hoffnungslos.

Wir saßen, schauten einander an, schwiegen, und niemand wollte das Stillschweigen unterbrechen. Endlich, nach einer langen Weile, sagte der Jüngste – er war noch nicht siebzehn Jahre alt und in der Schule verhaftet worden: »Der Krieg ist also zu Ende. Jetzt können wir nach Hause fahren.« Keiner von uns antwortete ihm. Wir alle wußten, daß man nicht einfach »nach Hause fahren« konnte; daß es weder Eisenbahn noch andere Verbindungen gab. Unser Jüngster war der einzige, der wußte, daß seine Familie sich nach Schweden gerettet hatte. Die anderen waren alle mit ihren Angehörigen gekommen, und die meisten waren gleich nach ihrer Ankunft in Auschwitz ermordet worden. Viele Väter und Brüder, die die erste Selektion überlebt hatten, waren im Lager umgekommen. Nach langem Stillschweigen sagte einer sehr langsam und sehr leise: »Der Krieg ist zu Ende, ja, aber nach Hause – wo ist dies, und zu wem?«

BERNT ENGELMANN
Mein achter Mai

Ich war schon wach, als über den schwarzen Kiefern jenseits der Amper die Sonne aufging. Wo der Himmel sich rötete, lag München – oder was der Krieg davon übriggelassen hatte –, zwanzig, höchstens dreißig Kilometer entfernt. Mein Problem lag etwas weiter nordöstlich, zweiunddreißig Kilometer weit von meinem Bett, dessen Weichheit, Sauberkeit und Frische mir auch nach neun Tagen noch fremd war. Als Fremdestes empfand ich die wunderbar flauschige weiße Wolldecke, die über mich gebreitet war und nach mir unbekannten Desinfektions- und Waschmitteln roch.

»Mindestens zwei Jahre«, hatte der Doktor gesagt. So lange sollte ich hierbleiben. Er hatte nur gelacht, als ich ihm erklären wollte, daß ich bald aufstehen und zu gehen versuchen wollte, um dann . . . »Take it easy«, beschied er mich und verordnete weitere Büchsen Blutplasma für den Tropf, der mich schon mit Traubenzucker und anderen Stärkungsmitteln versorgte – alles aus Konserven wie sämtliche Hilfs-, Nahrungs- und Genußmittel der 7. U.S. Army. Bestimmt hatten sie auch Bibeln in Büchsen, sterilisiert und vakuumverpackt . . .

Ich war verzweifelt an diesem Morgen. Gewiß, erstmals seit langer Zeit fehlte es mir an beinahe nichts: Ich wurde aufs beste gefüttert, getränkt, umsorgt und hatte nichts mehr zu fürchten. Nur die Bewegungsfreiheit hatte man mir genommen, und gerade nach ihr sehnte ich mich am meisten, denn ich wollte nach Hause. »Natürlich«, versuchte ich mich zu trösten, »wirst du bald aufstehen, egal, was Arzt und Schwestern dazu sagen! Du wirst Gehen üben – erst drei, dann fünf, zehn Schritte . . . Und dann wirst du ihnen davonlaufen!«

Doch leider hatte ich nichts anzuziehen, gar nichts außer dem knöchellangen Nachthemd. Alles hatten sie mir vor der dreimaligen Desinfektion abgenommen und sofort verbrannt: Zebrajacke, -hose, -mütze, die Holzpantinen – alles! Nur im Hemd würde ich, auch wenn ich wieder gehen könnte, nicht weit kommen . . .

Da sah ich sie, und trotz meiner Schwäche richtete ich mich auf, um sie genauer in Augenschein zu nehmen. Tatsächlich! Sie lebte, sie bewegte sich! Alles hatte sie überstanden: Bäder, Duschen, drei DDT-Angriffe, Lysol und Kaliumpermanganat! Und nun zeigte sie mir, daß Schwierigkeiten nur dazu da sind, überwunden zu werden: ein Prachtexemplar aus der Familie der Pediculidae, genauer: P.vestimenti D. – D für Dachau, ihre angestammte Heimat, aus der sie General Patton vertrieben hatte, als ich dort von seinen Boys befreit, gereinigt, desinfiziert und, noch 36,5 Kilo schwer, ins Klosterkrankenhaus von Fürstenfeldbruck eingeliefert worden war – zu mindestens zweijähriger Liegehaft nach Hungertyphus, Fleckfieber und Tbc-Verdacht . . .

Gerührt und mit fast väterlichem Stolz betrachtete ich diese vorbildlich tapfere und zähe Laus, wie sie da über meine makellos weiße Flauschdecke kroch. Noch ehe ich ihr mit leisem Bedauern den Garaus machte, stand mein Entschluß fest: Noch heute würde ich damit beginnen, das Sitzen, Stehen und Gehen zu üben!

Wie überzeugt man eine Nonne, daß manchmal auch den strengsten ärztlichen Anordnungen zuwidergehandelt werden muß? Die pausbäckige Schwester Kreszenzia wurde jedenfalls – der Himmel möge es ihr gelohnt haben! – sehr rasch zu meiner Komplizin, nachdem ich ihr erklärt hatte, am kommenden Sonntag, dem 13. Mai, wollte, nein, müßte ich zur heiligen Messe – am besten ganz früh, wenn die amerikanischen Ärzte noch schliefen. Sie versprach mir ihre Hilfe bei ersten Gehversuchen, frühmorgens und vielleicht auch am späteren Abend, je nach den Fortschritten, dann auch auf dem Gang, wollte mir auch einen Stock und etwas Kleidung besorgen. Ich hingegen erklärte mich willens, so bald wie möglich die Messebesuche zur allmorgendlichen Routine werden zu lassen, bald auch die Teilnahme an den abendlichen Andachten. Ich weiß nicht, ob ich sie belogen hätte, wenn sie auf den Gedanken gekommen wäre, mich zu fragen, ob ich denn überhaupt katholisch sei. Doch sie fragte gar nicht, ganz überwältigt von meinem plötzlichen religiösen Eifer.

Zum Frühstück brachte sie mir eine Tasse echte Milchschokolade und zwei Eier im Glas, eine Stunde später schon wieder eine kräftige Rindsbouillon, dazu die – mich nicht weiter erregende – Nachricht, die Wehrmacht habe bedingungslos kapituliert, seit Mitternacht sei der Krieg vorbei.

Für mich war er es noch nicht, aber bis zum Sonntag schaffte ich die 150 Schritte bis zur Kapelle, ging von da an morgens und abends zur Messe, angetan mit den viel zu weiten Kleidern eines Verstorbenen. Ich wurde der Stolz der Schwester Kreszenzia; die Mutter Oberin stellte mich den anderen Dachauern, ob Christen, Juden oder Kommunisten, als nachahmenswertes Vorbild an Frömmigkeit hin, und in der ersten Juniwoche war es soweit: Unter Hinterlassung eines Dankbriefs verschwand ich im Morgengrauen; ein Milchwagenfahrer nahm mich mitleidig den größten Teil der zweiunddreißig Kilometer mit – bis zur Autobahn nach Norden, und dort erntete ich sogleich den Lohn für die vielen heiligen Messen: Ein schwarzer Rolls-Royce mit violetten Polstern, am Steuer ein livrierter Chauffeur, auf dem Rücksitz ein freundlicher Prälat aus Rom, der einen Liebesgabenkonvoy anführte, nahm mich auf und brachte mich sicher nach Hause.

ERHARD EPPLER
Ich hatte überlebt . . .

Eigentlich hat sich mir der zehnte Mai 1945 stärker eingeprägt als der achte. Denn an diesem Tag kam ich nach einem abenteuerlichen Fußmarsch, nur mit einem Kompaß ausgerüstet, von der Lüneburger Heide quer durch Deutschland zu Hause, also in Schwäbisch Hall, an. Der achte Mai war der Tag, an dem ich alle Energie brauchte, um einen Übergang über den Main zu finden, an dem keine Ausweise kontrolliert wurden. Soldbuch und Wehrpaß lagen irgendwo in der Heide an getrennten Orten, und es gehörte wenig Scharfsinn dazu, in dem schmalen Jungen, der da in unvorstellbar abgerissenen Zivilklamotten drauflosstapfte, einen von Millionen Soldaten zu erkennen, die damals bei herrlichem Frühlingswetter so ganz anders gen Heimat marschierten, als sie sich dies vorgestellt hatten. Aber schließlich wurde ich zu einer

Brücke westlich von Würzburg gewiesen, die ich tatsächlich ungeschoren passieren konnte.

Die Kapitulation hat mich nur mäßig bewegt. Sie erschien mir eher als eine Formsache. Seit am 23. April unser Oberleutnant seine Truppe aufgelöst und uns geraten hatte: »Seht, wie ihr nach Hause kommt«, hatte ich Deutschland nur als besetztes Land erlebt. Hitler war tot. Herren waren nun die Amerikaner mit ihren Jeeps und Trucks, ihren Kabeln, die sie über die Bäume hinweg spannten, ihrem Büchsenfleisch und ihrer Schokolade. Und wir hatten gemerkt, wofür sie uns hielten: für höchst gefährliche, unberechenbare und wohl auch unbelehrbare Nazis.

Daß da irgendeiner von den vielen Marschällen noch eine Unterschrift unter ein Dokument setzte, ehe man ihm seinen Marschallstab abnahm, das mußte wohl so sein, aber es änderte nichts an jener Wirklichkeit, die eindeutiger als jedes Zeremoniell zu uns sprach.

Nun hörte also überall das Schießen vollends auf, das wir vor zwei Wochen beendet hatten. Das war gut. Aufregend war es nicht.

Es ist nicht ganz ohne Risiko, wenn ich heute, nach 40 Jahren, versuchen soll, meine Gefühle in jenen Tagen noch einmal wachzurütteln. Durch wie viele Filter solche Erinnerung gegangen sein mag, weiß ich nicht. Aber wenn ich mich nicht zu sehr täusche, so waren es vor allem drei Empfindungen.

Einmal die Freude darüber, daß ich lebte. Der Krieg war vorbei, und es war mir nicht so gegangen wie meinem Bruder, wie vielen meiner Freunde und Kameraden: Ich hatte überlebt, und das war mehr, als ich ein Jahr zuvor noch meinte hoffen zu dürfen. Es lag also noch ein Leben vor mir, von dem bisher nur achtzehn Jahre und fünf Monate verstrichen waren. Das war ein neues Gefühl, denn in der letzten Zeit hatte ich kaum mehr über das hinausgedacht, was an chaotischem Irrsinn um mich herum ablief.

Aber genau da begann ein anderes Gefühl: Was war mit diesem Leben anzufangen? Denn soviel hatte ich schon begriffen:

Dies war nicht eine jener Niederlagen, von denen ich in Geschichtsbüchern gelesen hatte. Da lagen nicht nur jene Städte in Trümmern, um die ich bei meiner kuriosen Wanderung aus gutem Grund einen Bogen gemacht hatte. Seit ich im Februar 1945 gesehen hatte, wie Judentransporte für Belsen entladen wurden, war mir klar: Wehe uns, wenn wir das büßen müssen. Wer in aller Welt sollte daran interessiert sein, uns, den verdorbenen Resten einer verheizten Generation, eine Chance zu geben? Gut, zu Hause waren hoffentlich noch die Menschen, die ich liebte, Geschwister, Mutter, eine Freundin, und man würde sich schon irgendwie durchschlagen.

Ich würde im Garten Gemüse anpflanzen, das konnte den Hunger mindern. (Ich habe es dann nicht getan, weil die Amerikaner Häuser und Gärten in der ganzen Siedlung beschlagnahmt hatten.)

Vielleicht konnte ich emigrieren? Zu einem Onkel nach Südamerika? Jedenfalls: So schön es war, am Leben zu sein, es war ganz unklar, was ich damit anfangen sollte. Daß mir sinnvolle und verantwortliche politische Arbeit bevorstehen könnte, lag weit außerhalb meiner Vorstellungskraft.

Scheinbar quer dazu lag ein anderes Erlebnis: das der heiteren Souveränität der Natur. Da schien die Sonne, wuchsen die Saaten, blühten Apfelbäume, als ob es nie einen Hitler gegeben hätte. Rehe liefen mir über den Weg, Kühe grasten, und die Birken trugen ihr hellgrünes Laub wie eh und je. Es gab offenbar Dauerhafteres, Elementareres, Wichtigeres als den Größenwahn von Menschen, verläßlicher als Staatsgrenzen und Herrschaftsformen. Die Natur nahm keine Notiz vom Untergang des Deutschen Reiches, vom Machtgefühl der Sieger, auch nicht von meinen eigenen Sorgen.

Das half mir zwar auch nicht über meine Ratlosigkeit und wohl auch Mutlosigkeit hinweg, aber es war gut, sehr gut. Es gab doch etwas, worauf Verlaß war.

DIETER ERTEL
Berückend schöne Ferientage

In den letzten Kriegsmonaten gehörte ich, achtzehn Jahre alt, als Kanonier einer Flakbatterie im Hamburger Stadtpark an, lag also inmitten meiner Heimatstadt. Am Rande des Stadt-parks war ich aufgewachsen. Am 30. April kam abends im Rundfunk die Nachricht, der »Führer« sei im Kampf um Berlin »gefallen«. Wir stellten uns das natürlich so vor, daß Hitler am Ende selbst zur Waffe gegriffen hatte und den Sowjets helden-mütig entgegengetreten war, wie es sich für einen Führer ge-hörte. Einige schluchzten. Es waren unsere Jüngsten: die fünf-zehn- und sechzehnjährigen Sachsen aus Bautzen. Der Ham-burger Sender brachte einen Nachruf von Gauleiter Kaufmann. Ich erinnere mich an die Worte: »Was er uns alten Nationalso-zialisten bedeutete . . .«

Montgomerys Divisionen hatten Hamburgs südliche Stadt-teile erreicht. Wir hatten uns auf den »Erdkampf« vorbereitet. Von einem Kirchturm in Jenfeld hatte ich beobachten und mel-den müssen, wie unsere Batterie auf Ziele am Erdboden schoß, zur Probe. In jenen Tagen lag über der zertrümmerten Stadt eine eigentümliche, spannungsvolle Ruhe. Nach der Meldung von Hitlers Tod lockerte sich bereits die militärische Disziplin. Abends spazierte ich am Wachlokal vorbei zu einem Schul-freund, der krankheitshalber nicht Soldat geworden war, er wohnte am Possmoorweg. Er erzählte mir von seinem Onkel, dem Nobelpreisträger Carl von Ossietzky. Ich hatte den Na-men noch nie gehört.

Dann die Nachricht: Hamburg werde am nächsten Tag als offene Stadt den Engländern übergeben. Bis zum späten Abend sollten noch die öffentlichen Verkehrsmittel fahren.

Die Großbatterie Hamburg-Stadtpark lief einfach auseinan-der, es gab nicht einmal mehr einen Appell. Alle bedienten sich aus den erstaunlich reichhaltigen Lebensmittelvorräten der Kantine. Ich stopfte vier Dosen Corned beef alliierter Herkunft in meinen Rucksack, und das war bescheiden. Ein Wachtmeister war mit einem Pferd und einem vollbeladenen Wagen auf und davon.

Ich fuhr mit der S-Bahn und der Straßenbahn nach Marienthal, wo meine Eltern und meine Schwester nach ihrer zweiten Ausbombung im Haus eines Freundes untergekommen waren. Weiße Bettwäsche erwartete mich. Es war Anfang Mai, und wir hatten lauter berückend schöne Frühlingstage.

Am nächsten Tag zogen die Sieger ein. Auf der Hindenburgallee – die bald wieder Friedrich-Ebert-Allee heißen sollte – fuhren lange Fahrzeugkolonnen an uns vorüber. Ich wunderte mich, daß niemand zu Fuß kam, konnte man so etwas einen »Einmarsch« nennen? Die Fahrzeuge waren olivbräunlich angestrichen und trugen als Kennzeichen große weiße Sterne. Zum erstenmal sah ich Jeeps, zum erstenmal auch Barette auf englischen Soldatenköpfen. Uns war das Verlassen der Häuser streng untersagt. »Nun haben wenigstens die Luftangriffe ein Ende«, sagten die Hausbewohner. Sie sagten auch, es sei kein Wunder, daß die Alliierten mit ihren vielen Fahrzeugen und ihrem vielen Benzin den Krieg gewonnen hätten. Zwischenfälle gab es nicht.

Bald meldete sich »Radio Hamburg, ein Sender der Militärregierung«. Seine Erkennungsmelodie war das feierliche Streicherthema aus dem letzten Satz der c-Moll-Sinfonie von Brahms. Ich hörte es und war überzeugt, daß nun bessere, freiere Zeiten anbrechen würden.

Über Radio Hamburg erfuhr ich vom Konzentrationslager Belsen. Die Engländer hatten es befreit und Tausende von Toten und Halbverhungerten vorgefunden. Ich glaubte den Menschen, die jetzt Rundfunksendungen machten.

Dann wurden im Radio alle deutschen Soldaten, die sich noch in Hamburg aufhielten – es waren Zehntausende –, aufgerufen, sich zu Sammelstellen der britischen Rheinarmee zu begeben. Wieder einmal in grenzenloser Naivität meine Entlassung ins Zivilistenleben erhoffend, zog ich meine Uniform mit den roten Kragenspiegeln an, setzte das Käppi auf, marschierte in Richtung Stadtzentrum und landete in einem britischen Wachlokal. Ein Sergeant mit einem dunkelroten Barett betrachtete mich und sagte: »The British treat their prisoners well.« In einem Anfall von Patriotismus sagte ich: »The Germans do so.« Er wandte sich ab, sah mich wieder an und sagte: »I've seen Belsen.«

WERNER FILMER

Please, I want chocolate!

Erinnerungen an graues Mehl sind da, nicht so ausgemahlen wie heute; an Scheren, die Lebensmittelkarten schneiden. Soundso viel Fleisch, soundso viel Brot. Vor drei Tagen noch hat meine Mutter in der Kaffeemühle Getreide gemahlen. Seit Tagen gibt es Roggensuppe: schrotig, spelzig. Ständig schlucke ich, der Bissen bleibt mir im Halse stecken.

Ich habe den Kriegsdienst der Jugend kennengelernt, die Schulaltstoffsammlung. Mehrere Zentner sammelten wir noch Anfang Februar 1945. »Die Kinder lernen überhaupt nichts mehr!« hat meine Mutter zur Nachbarin gesagt. »Die lernen das Leben kennen!« antwortet die. Meine Mutter schweigt. Der Mann der Nachbarsfrau ist Luftschutzwart, Parteigenosse.

Bratkartoffeln esse ich für mein Leben gern. Fett gibt es nicht. »Gieß Kaffee dran, damit die Bratkartoffeln schön braun werden!« rät meine Tante. Einer hat im Haus Hohler Weg 63 mit Lebertran Pfannkuchen gemacht. Im Treppenhaus stinkt es mächtig.

Achter Mai 1945. Iserlohn, Hohler Weg. Vor der katholischen Kirche steht ein feindlicher Panzer. Gegenüber dem Haus der Kontarskys. Ein Soldat sitzt im Turm. Gelangweilt. Die Beine eines anderen Soldaten baumeln über die Raupen. Vom Fenster sehe ich die beiden. Dreißig Meter entfernt. Von meinem Vater, einem Waffennarr im Range eines Oberschützen, besitze ich einen Browning, eine Selbstladepistole, kleiner als die Hand eines zehnjährigen Schülers. Woher Vater die Pistole hat, weiß ich nicht. Ich habe sie vor einem halben Jahr in einem Kellerregal entdeckt.

Seit einem halben Jahr lernen wir unregelmäßig Englisch in der Schule. Erste Fremdsprache. In sieben Tagen werde ich elf Jahre alt. Wegen feindlicher Lufttätigkeit sind die meisten Schulstunden ausgefallen. Seit ich den Panzer gesehen habe, übe ich, wiederhole ständig: Good morning, do you change this pistol ... Please, I want chocolate! Schokolade kenne ich nur vom Hörensagen. Wenn Erwachsene davon sprechen, verdrehen sie die Augen.

»Damals«, sagen sie ... Vom Schlafzimmerfenster aus schaue ich durch die Bretterritzen auf den Panzer. Das Fensterglas ist längst zersprungen, zerfetzt.

Achter Mai 1945, elf Uhr morgens. Vor dem Mietshaus, in dem wir wohnen, riß vor drei Wochen eine Granate ein haustiefes Loch. Erst durch dieses Loch – fünf Meter entfernt – bin ich richtig mit dem Krieg konfrontiert worden.

Frei zu atmen, aufzuatmen, kommt mir an diesem Morgen nicht in den Sinn. Ich möchte Schokolade. Habe gehört, daß die Deutschen ihre Waffen abliefern sollen. Wer mit einer Waffe erwischt würde, müsse mit Todesstrafe rechnen. Das Gerücht läuft von Haus zu Haus, von Keller zu Keller. Und ich besitze einen kleinen Browning, eine Waffe. Und will Schokolade.

Daß die Feinde scharf auf Waffen jeder Art sein sollen, auf Orden und Ehrenzeichen, hat bereits den Kartoffelkeller, in dem wir noch immer leben, erreicht. Leere spüre ich, das Gefühl eines anhaltenden inneren Nichts, obwohl ich laut in den Nächten gebetet habe: »Gegrüßet seist du, Maria, voll der Gnaden, der Herr ist mit ...« Immer und immer wieder.

Ein gräulicher Morgen und in dreißig Meter Entfernung ein Panzer mit zwei Soldaten. Hinter Bretterfenstern ein kleiner Knirps, eingeklemmt in Vorurteilen, eingebettet in Feindbilder und Propagandaformeln.

Nein, als Katastrophe habe ich den Krieg nicht erlebt, einige Kilometer hinter Dortmund in der westfälischen Provinz.

Zwar sind da gräßliche Erinnerungen an Sirenen, durch die Menschen aufgescheucht werden, an Mütter, die ihre schlaftrunkenen Kinder hastig aufreißen, hochziehen, mitschleppen. Ihre Koffer. Da ist das flackernde Kerzenlicht in den Kellern mit ihrem Modergeruch, der warme Atem der Menschen, die aus ihren Betten kommen, meistens angezogen schlafen, jetzt in Decken und Mäntel gehüllt, zwei Jacken, zwei Mäntel, soviel jeder tragen kann.

Vorbei das Dröhnen der Flugzeugmotoren, das Welle für Welle die Mietshäuser überzieht. Vorbei die Bilder der Entwarnung, wenn Mütter und Kinder auf Dachböden steigen und hinter dem Schwarz der Schornsteine und Dachvorsprünge rotgefärbte Horizonte wahrnehmen: rötliches Aufflackern. Vorbei der bedrohende Ton in der Luft.

Fliederduft dringt durch die Dachspalten. Erinnert mich an die Maiandachten in Sankt Aloysius. In diesem Mai sind die Abendandachten ausgefallen. »Dortmund brennt«, hat noch vor zwei Wochen einer gesagt, als wir aus dem Dachfenster schauten. »Nein, in der Richtung liegt Hagen!« – »Bochum könnte es auch sein!« – Zurufe, Hinweise, Vermutungen.

Das alles ist an diesem Tag verschwunden. Aufatmen. Wir sind verschont worden. Kinder spüren nur, daß ihre Mütter sie heftiger als sonst an sich pressen. Der Krieg ist aus. Wir leben. Atmen zwischen Steinen, Eisenträgern, Glassplittern.

Ich habe gelernt, mir nicht den Mund zu verbrennen. Nein, das Gebrüll der Nazis, ihre Parolen, ihre Schlagworte ekeln mich nicht an. Ich schweige, weil meine Eltern gesagt haben, dagegen sei nichts zu machen. Achselzucken eines Oberschützen. Das Ende des Krieges hat mir niemand in schillernden Farben ausgemalt.

Die Jahre dirigierter Reflexe haben mein Denken eingeebnet. Sachlich zu bleiben, frei zu sprechen, zu denken kenne ich nicht. Schwarze Männer an den Hauswänden warnen: »Pst, Feind hört mit!« Und ich hasse den Feind, der deutsche Städte zerstört, Bomben auf wehrlose Frauen und Kinder wirft und uns nachts in die Keller zwingt.

Achter Mai 1945. Ich hole meinen abgeschabten Lodenmantel, den ich seit vier Jahren trage, eine Leuchtplakette am Aufschlag, nehme die Skimütze vom Haken, an der noch das HJ-Abzeichen steckt, nestle es ab. Wohin damit? Sehe auf weiße lange Kniestrümpfe. Mein ganzer Stolz! Ulli Röllecke, unser Fähnleinführer, hatte ähnliche getragen. Für ihn wäre ich durch dick und dünn gegangen. Und jetzt will ich zur anderen Seite. Schiß in der Hose. Beklemmung. Ich schäme mich, betteln zu gehen. Noch kenne ich nicht das Bild des englischen Zeichners Low, der Hitler als Rattenfänger darstellt. Hinter ihm die lange Kette deutscher Kinder. – Der Führer? Irgendwie verehre ich ihn. Die grinsende Maske des brutalen Gewaltmenschen tragen für mich bolschewistische Soldaten. Nie meineidig zu werden, habe ich Ulli Röllecke versprochen. Und jetzt gehe ich auf den Panzer zu: zögernd, ängstlich, die Hände in die Manteltaschen vergraben.

Die beiden Soldaten beobachten nicht den Knirps, der langsam auf sie zuschreitet. Alle Fanfaren, Trommeln, Hakenkreuzfahnen, Horst-Wessel-Lieder liegen hinter mir. Ich will Schokolade. Erschrecke vor dem Ungetüm aus Stahl. So riesig habe ich mir Panzer nicht vorgestellt. Ich stocke. Was wird aus mir, wenn ich verhaftet werde? Oder erschossen? Was, wenn ich die Pistole ziehe? Alles in mir drängt danach, umzukehren. Der Koloß von Panzer erdrückt meinen Wunsch, Schokolade zu erhalten, ängstigt mich mehr als die gleichgültig wirkenden Soldaten, die müde aussehen; froh sind, daß die Nazi-Sauerkrauts endgültig besiegt wurden.

Ich streiche um den Panzer, tue so, als interessierten mich Stern, Ketten, Tarnfarbe. Und frage plötzlich, als einer der Soldaten mich grinsend ansieht: »Good morning ..., do you change a pistol ...? Please, I want chocolate!«

Der eine, der seine Beine herunterbaumeln läßt, hebt den Kopf, sagt nichts. Nur eine flüchtige, streifende Bewegung ermuntert mich, den Browning aus der Tasche des Lodenmantels zu ziehen, eingehüllt in ein Taschentuch, das Löcher hat. Ich merke, daß ihn die kleine Pistole nicht interessiert. Er wiegt sie in seiner Hand, will sie mir zurückgeben, stockt, schaut mich an. Sieht erst jetzt den hohlwangigen, blaß aussehenden Knirps mit der Leuchtplakette am Mantelkragen. Ein Lächeln. Er steckt die Waffe ein, gibt mir eine kleine Tafel Schokolade. Drei Riegel. »Thank you, Sir«, sage ich, laufe nach Hause.

Fliederduft, ein süßlicher Geruch hängt in unserer Straße. Kriegsende. Kapitulation.

Mascha M. Fisch
Grüß dich, Deutschland, aus Herzensgrund

Ich hatte Angst vor dem Krieg. Obwohl ich damals in der neutralen Schweiz lebte, war doch viel von dem Grauen und Entsetzen, das Adolf Hitler und seine Gefolgschar über Deutschland, Europa und die halbe Welt verbreiteten, in meine Heimat gedrungen.

»Wenn die Nazis nur endlich kaputtgehen würden«, pflegte mein Vater zu sagen. Ich nickte zustimmend, auch wenn ich mir nicht genau vorstellen konnte, was »die Nazis« eigentlich darstellten. Ich war vierzehn Jahre alt.

Wir wohnten am nördlichen Stadtrand von Schaffhausen. Der Kanton gleichen Namens ragt mit vielen Ecken auf der nördlichen Rheinseite nach Deutschland hinein. Wenn ich durch den Wald Richtung Thayngen ging, befand ich mich nach zehn Minuten an einem Grenzstein. Dort war ich oft. Allein oder mit meinem Vater. In einer Lichtung am Abhang wuchsen saftige Erdbeeren. Meine Mutter kochte daraus Marmelade, die ich heimlich aß, was mir meistens Ärger einbrachte. Denn üppig sah es bei uns zu jener Zeit mit dem Essen nicht aus. Fast alles war rationiert und konnte nur auf Lebensmittelkarten gekauft werden.

An diesem Abhang war es auch, als ich zum erstenmal Kriegsgefangene sah, die auf der anderen Seite – der deutschen – Bäume fällen mußten. Ich starrte erschrocken auf die zerlumpten Gestalten. Auf dem Rücken der Jacken hatten alle ein SU stehen. Vater erklärte mir, das heiße Sowjetunion, die Gefangenen seien Russen. Noch mehr Entsetzen flößten mir die Bewacher ein, die in schwarzen Stiefeln die Schar umsäumten, mit Gewehren in den Händen. Manchmal rief einer: »Los, los, vorwärts!« Ich dachte: »Das sind die Nazis. Die sollen kaputtgehen.«

Ich hatte nämlich meine Pläne für die Zukunft. Die konnte ich nur verwirklichen, wenn es keine Nazis mehr gab. Mein Wunsch war es, in Deutschland zu leben. Als Einzelkind aufgewachsen, war meine Hauptbeschäftigung schon immer das Lesen gewesen. Ich durchforstete den Bücherschrank meines Vaters, las Goethe, Schiller, Lessing, lernte Gedichte auswendig von Mörike, Heine, Storm, Eichendorff. Besonders von letzterem schwärmte ich. Eines seiner Gedichte liebte ich sehr, in dem die Strophe vorkam: »Der Morgen, das ist meine Freude / Da steig' ich in stiller Stund' / Auf den höchsten Berg in die Weite / Grüß dich, Deutschland, aus Herzensgrund.«

Vater schimpfte, wenn ich diese Strophe laut aufsagte: »Sei still, dieses Deutschland grüßt man nicht. Ja, wenn die Nazis einmal weg sind, dann wird es wieder anders sein. Hoffentlich.«

Hoffentlich. An diese Hoffnung klammerte ich mich. Der Krieg mußte aufhören, nur so konnten meine Pläne Wirklichkeit werden. Jeden Tag fragte ich: »Ist der Krieg schon aus?« Meine Ungeduld wuchs, ich konnte es kaum erwarten, bis es endlich soweit war.

In den letzten Kriegsmonaten hatten wir fast Tag und Nacht Fliegeralarm. Nachts lag ich in meinem Bett und hörte, wie die Fensterscheiben vibrierten, wenn die »Fliegenden Festungen« mit ihren Bomben über unseren Landzipfel Richtung Deutschland flogen. Manchmal hörte ich auch das dumpfe Donnern der Bomben, wenn Städte hinter der Schweizer Grenze bombardiert wurden. Schaffhausen wurde auch einmal von den Amerikanern bombardiert, irrtümlicherweise. Es war am ersten April 1944. Unsere Schule befand sich inmitten des zerbombten Stadtteils. Ich rannte durch die Straßen, zu beiden Seiten brannten die Häuser. Ich war einfach aus dem Luftschutzkeller ausgebüxt, weil ich nach Hause wollte. Ich weinte. »Die Nazis müssen kaputtgehen, sie sind an allem schuld.«

Es geschah viel in jenen letzten Kriegstagen. Die schweizerischen Dörfer in den Grenzzipfeln wurden evakuiert. Auf Pferdewagen zogen die Bauern mit Hab und Gut Richtung Süden über die Rheinbrücke in den Kanton Zürich hinüber. Das Donnern der Geschütze der heranrückenden Franzosen und Amerikaner war bis zu uns zu hören. Die Schule ging trotzdem weiter. Wir mußten aber bei jedem Fliegeralarm in den Keller. Dort durften wir nicht sprechen wegen des Luftmangels. Wir spielten »Mensch, ärgere dich nicht!« und andere Spiele.

Manchmal ging ich noch an die Waldlichtung. Die Schweizer Soldaten hatten aber alles abgesperrt. Ganz zum Grenzstein konnte ich nicht mehr. Unten im Tal führte die deutsche Eisenbahnlinie von Singen nach Waldshut. Die Lokomotiven hatten alle Aufschriften wie »Räder rollen für den Sieg« und dergleichen. Vor der Kapitulation rollten lange Güterzüge Richtung Norden, bepackt mit Holz und anderen Dingen, die die Nazis aus Frankreich geholt hatten. Nach der Kapitulation trugen die Lokomotiven keine Spruchbänder mehr, die Züge rollten weiter, jedoch in die andere Richtung. Die Franzosen brachten alles wieder zurück in ihr Land.

Einige Tage vor der Kapitulation gab es noch andere große Aufregungen. Die Nazis schoben ihre russischen Kriegsgefangenen einfach ab über die Schweizer Grenze. Viele von ihnen gehörten der Wlassow-Armee an, von der ich damals natürlich keine Ahnung hatte. Die Männer befanden sich in einem erbärmlichen Zustand, halb verhungert, krank, verwahrlost. Lange Kolonnen wankten von der Grenze her durch das Tal Richtung Stadt. Die Bevölkerung war aufgerufen, zu helfen, die Männer zu verpflegen, ihnen warme Kleidung zu geben.

Dann endlich war der Tag da, an dem es hieß: Deutschland hat kapituliert. Meine Mutter sagte: »Jetzt gibt es dann wieder genug zu essen.« Ich selber rannte in der Wohnung herum vor lauter Freude. Ich war so ausgelassen, daß ich zur Strafe früher ins Bett mußte. Aber das war mir egal. Meiner Zukunft stand nun nichts mehr im Wege.

Ossip K. Flechtheim
Keine besonderen Erinnerungen

Am achten Mai 1945 war ich in Lewiston, Maine, tätig. Als Dozent lehrte ich dort an einem kleinen New England College. In meinem Notizbuch finde ich für diesen Tag nur die Eintragung, daß ich an einer Fakultätssitzung des College teilgenommen habe. Ich habe auch keinerlei besondere Erinnerungen an diesen Tag im Gegensatz zum sechsten August 1945. Welche Erschütterung der Abwurf der Atombombe auf Hiroshima bewirkte, ist mir in allerlebendigster Erinnerung.

Daß der achte Mai mich so wenig beeindruckte, mag vielleicht mit meinem Werdegang bis 1945 zusammenhängen. Nachdem ich 1933 aus »rassischen« Gründen aus dem Staatsdienst entlassen und 1935 aus politischen Gründen in Haft genommen worden war, ging ich 1935 ins Exil nach Genf. 1939 emigrierte ich in die Vereinigten Staaten. Nach einjähriger Anstellung am Horkheimer-Institut in New York und dreijähriger Tätigkeit als Dozent an einer Negeruniversität in Atlanta, Georgia, kam ich 1943 an das Bates College in Lewiston, Maine. Räumlich war ich so seit Jahr und Tag vom europäischen Kriegsschauplatz weit entfernt gewesen. Natürlich verfolgte ich den Krieg in Europa mit brennendem Interesse. Nicht erst 1945 war mir schon klargeworden, daß nach all den Niederlagen Hitler-Deutschland den Krieg längst verloren hatte und die Kapitulation nur noch eine Frage von Monaten oder Wochen war.

Im Gegensatz zu so vielen Sozialdemokraten und Kommunisten hatte ich nie die Illusion, das nationalsozialistische Regime würde schon nach kurzer Zeit gestürzt werden oder zusammenbrechen. Nachdem ich 1927 mit achtzehn Jahren in die

KPD eingetreten war, wurde ich schon bald in Anbetracht ihrer ultralinken Politik kritisch und oppositionell. Ich kam mit Kommilitonen in Kontakt, die später zur linkssozialistischen Miles-Gruppe Neu Beginnen gehörten. 1933 brach ich alle Beziehungen zur KPD ab und beschränkte mich auf Kontakte zu Neu Beginnen, derentwegen ich auch 1935 verhaftet worden war. Nun hatte Miles (ein Pseudonym für Walter Löwenheim) schon in der 1933 veröffentlichten theoretischen Plattform der Miles-Gruppe überzeugend dargelegt, daß der Nationalsozialismus das Produkt einer welthistorischen Krise sei. Er würde wohl jahrelang an der Macht bleiben und wahrscheinlich nur nach einem von ihm provozierten, verlorenen Kriege verschwinden. Wir glaubten damals auch schon, daß der Krieg gegen Hitler langwierig sein und blutig verlaufen würde.

Später erklärte mir während des Krieges in einem Gespräch Thomas Mann, die Deutschen würden sich erst gegen die nationalsozialistische Herrschaft auflehnen, nachdem die alliierten Truppen in Deutschland selber eingedrungen sein würden.

Das leuchtete mir damals durchaus ein, obwohl sich auch diese Hoffnung als Illusion erweisen sollte. Andererseits berichtete uns ein amerikanischer Kollege, der an der Besetzung Aachens durch die Amerikaner teilgenommen hatte, daß entgegen den amerikanischen Erwartungen die deutsche Zivilbevölkerung keinerlei Widerstand leistete, vielmehr die Besatzung passiv hinnahm. So war ich von vornherein darauf vorbereitet, daß einerseits der Krieg lange dauern, aber andererseits doch im Frühjahr oder Sommer 1945 mit der Niederlage des Dritten Reiches enden würde. An welchem Tage das nun geschehen würde, war für mich wohl nicht so entscheidend, obwohl ich sicherlich am achten Mai 1945 ein Gefühl größter Erleichterung verspürte, daß das Massenmorden aufgehört hat. Wie meine politischen Freunde war auch ich 1945 noch voller Hoffnung, daß ein neues Deutschland zu einem wesentlichen Bestandteil eines neuen demokratisch-sozialistischen Europa werden würde, das einen dritten Weg zwischen den USA und der Sowjetunion einschlagen würde.

Und wer hat gewonnen?

Vor mir liegt das Büchlein »Losungen der Brüdergemeine für das Jahr 1945«, das einzige Notizbuch, das ich damals noch mit mir führte. Auffällig ist, daß ich am achten Mai 1945 keinen Randvermerk machte. Am vierten Mai notierte ich schon »Pax«. Das wichtigste Datum aber hatte ich bereits vorher festgehalten. Zwischen dem ersten und zweiten Mai findet sich kurz und bündig »Hitler †«.

Ja, ich machte das christliche Zeichen hinter dem verruchten Namen, eingedenk der Mahnung des katholischen Priesterkollegen Tage zuvor, man solle auch seinem ärgsten Feind die Chance ewiger Rettung zubilligen, das Weitere stünde bei Gott.

Wir kreuzten auf einem kleinen Kohlenschiff voller Verwundeter und einiger Sanitäter aus Königsberger Lazaretten in der Ostsee zwischen Treibminen und unter russischen Flugzeugen und deren Bomben. Am zweiten Mai trat ich morgens an Deck und grüßte fröhlich mit »guten Morgen«. Ein wohlmeinender Mann nahm mich beiseite und sagte: »Denk daran, du kannst immer noch erschossen werden!« Ein ernster Hinweis auf noch bestehende Gefahr. Am achten Mai durften wir den Fuß auf dänischen Boden setzen, in Nyborg auf der Insel Fyn. Ich erinnere mich nicht, daß uns der durch seine Funkverbindung unterrichtete Kapitän über die bedingungslose Kapitulation so informiert hätte wie sechs Tage zuvor über Hitlers Tod. Etwas anderes aber ist mir erschreckend in Erinnerung. Ein Soldat, der lange in Nyborg am »Klappenschrank«, der militärischen Telefoneinrichtung, Dienst getan hatte, rief sofort seine ihm sonst unbekannte Klappenschrankpartnerin in Vejle auf Jütland an, um ihr zu sagen, der Krieg sei aus. Worauf diese zurückfragte: »Und wer hat gewonnen?« Auch wenn diese Geschichte erfunden wäre, so würde sie treffend den Unterschied zwischen den geschlagenen Leuten von der Ostfront anzeigen und manchem Deutschen im heilen Dänemark.

Der verlorene Krieg war allgegenwärtig. Verträge zwischen militärischen Befehlshabern, mit denen die bedingungslose Unterwerfung einer Seite nach Kriegsvölkerrecht festgelegt wird, interessierten mich nicht, zumal ich deren politische Bedeutung noch nicht einzuschätzen wußte. Auch geschah diese Kapitulation zu einem verspäteten Zeitpunkt, als die militärischen Befehlshaber nicht mehr »konnten«. Rechtzeitig aufhören »wollten« sie ja wohl nie. Da ich aber, wie erwähnt, Tage zuvor auf die Gefahr, erschossen zu werden, hingewiesen worden war, spürte ich Erleichterung und wurde der großen, lang ersehnten Befreiung gewiß. Schlagartig waren die bisherigen Mächte entmachtet – auch wenn es in deren Gebaren noch nicht ganz sichtbar wurde –, und zu sagen hatten in Nyborg nur noch »Modstandsstyrkerne – Flygtninge – Fanger« (Widerstandskräfte – Flüchtlinge – Gefangene), die sich im »Luftvaernskontoret« (Luftschutzkontor) Nyborg etabliert hatten und längst auf den Tag vorbereitet waren.

Das viele Jahre durch die deutsche Besatzung so schwer gekränkte und geschädigte Dänemark fand sich bereit, seine Rolle als Gastgeberland für 250 000 deutsche Flüchtlinge zu übernehmen. In stiller Weise vollzog sich der Übergang auch für mich, der ich am achten Mai nicht mehr deutscher Sanitätsdienstgrad, sondern POW(brit) – britischer Kriegsgefangener – war in Verwahrung bei Dänen; einen britischen Soldaten sah ich erst 1946. Wir konnten noch weiterhin die dänischen Gebäude in engster Weise bewohnen, Schulen, Turnhallen, Hotels, Epileptikerheim und Schloß, bis dann weitläufigere und konzentrierte Lager eingerichtet waren.

Wir genossen seit dem Tag der bedingungslosen Kapitulation eine Behandlung und Verpflegung, von der man in Deutschland damals nicht zu träumen wagte. Bald wurden Lagerschulen eingerichtet, und Material, zum Beispiel der Neudruck einer alten österreichischen Fibel, Liederhefte und Katechismus wurden zur Verfügung gestellt. Den Dänen sei es unvergessen und gedankt! Am bald folgenden Pfingstfest gab der katholische Pfarrer dem evangelischen Küster, beide waren Dänen, ein Trinkgeld, damit der Küster den deutschen Soldaten die Kirche zum Gottesdienst öffne. Vor mir liegt das Losungsbüchlein 1945. Die Losung jenes Tages gilt bis heute, wie Gott durch Jeremia (30,11) spricht: »Mit dir will ich nicht ein Ende machen; züchtigen aber will ich dich mit Maßen, daß du dich nicht für unschuldig haltest.«

JOCKEL FUCHS
Unvorstellbar: kein Haß!

Als der Zweite Weltkrieg begann, war ich neunzehn Jahre jung. Als ich am vierten Dezember 1947 aus französischer Kriegsgefangenschaft in meine Heimat an der Nahe zurückkehrte, waren mehr als acht Jahre vergangen, Jahre, die mein Leben entscheidend geprägt haben. Noch heute kommt es mir immer wieder wie ein Wunder vor, jene chaotische Zeit, vor allem den Krieg selbst und die ersten Hungerjahre in Gefangenschaft, einigermaßen gesund überstanden zu haben. Auf den Schlachtfeldern Frankreichs, in den schlimmen Kriegswintern der Ukraine, aber auch am Ende des Kriegs an der Eismeerfront. Überall gab es täglich viele Gefahren, die das Überleben zum Zufall machten.

Ich bin in den Krieg gegangen ohne Enthusiasmus, wenngleich auch ohne Skrupel. Im Alter von neunzehn Jahren will man die Welt noch guten Glaubens verändern, freilich ohne zu wissen, was am Ende dabei herauskommt und welche Mächte es eigentlich sind, die einen motivieren. Schon in meiner frühen Jugend hatte mich der »Schandvertrag von Versailles« beschäftigt. Diesen Begriff prägten damals die Erwachsenen, zumeist Teilnehmer des Ersten Weltkriegs. Sie verwendeten ihn immer wieder, so daß am Ende auch ich meinte, es sei recht und billig, wenn das deutsche Volk alles daransetze, diesen Vertrag aus der Welt zu schaffen. Krieg war da wohl, wenn es denn nicht anders ging, unvermeidbar.

Als mich in den Maitagen des Jahres 1945 in Bodö nördlich des Polarkreises in Nordnorwegen die ersten Nachrichten von der bedingungslosen Kapitulation der deutschen Wehrmacht erreichten, war das zunächst ein für uns alle unfaßbarer Vorgang. Ist das der Untergang, war alles umsonst? Nur schwer konnte ich mir von den Kriegszerstörungen in der fernen Heimat eine Vorstellung machen. Ich war zuletzt im Frühjahr 1943 auf Urlaub gewesen, ehe ich den Weg an die Eismeerfront angetreten hatte. Dort oben war es im Vergleich zu anderen Bereichen Europas so, als gäbe es noch eine heile Welt. Zwar hatten die deutschen Truppen beim Rückzug aus Finnland an der nördlichen Spitze Norwegens einige Dörfer und kleinere Städte niedergebrannt, aber die norwegische Bevölkerung, wenigstens in unserem Bereich von Bodö bis Narvik, hatte das nicht zum totalen Feind gemacht. Wir, die Soldaten, konnten immer mit ihnen sprechen, bis zum Ende des Krieges.

Ich war Leutnant und Adjutant in einem Jägerbataillon, wiewohl als Luftnachrichtenoffizier ausgebildet und auch lange Zeit im Einsatz gewesen. Mir war nie so recht bewußt geworden, was wir eigentlich am Polarkreis sollten. Aber es war wohl das schwedische Erz, das wir »schützen« und für die deutsche Industrie »sichern« sollten.

In unserer Nähe war auch ein Lager für russische Kriegsgefangene. Sie waren eingesetzt beim Bau der Nordlandbahn und beim Ausbau der Polarstraße bis hinauf nach Kirkenes. Damals, am achten Mai 1945, ahnte ich nicht, daß diese Gefangenen nach ihrer Befreiung zwar den Russen übergeben, aber ihre Heimat nie erreichen würden. Vormittags hatte ich ein längeres Gespräch mit meinem Abteilungskommandeur, einem Reservemajor, der um etwa 15 Jahre älter war als ich und der sich große Sorgen um die Zukunft machte. Schon Monate zuvor, bei Beginn der alliierten Invasion in der Normandie, hatte er mir bei einem Gang entlang des Fjords zu verstehen gegeben, daß er den Krieg für verloren halte. Ich hatte ein ähnliches Empfinden, aber so recht wahrhaben wollte ich es denn doch nicht. Mein Major meinte, für das deutsche Volk kämen auch nach der Kapitulation noch schreckliche Jahre. Er stammte aus Schlesien, seine Familie war bereits evakuiert, und er war gewiß, nie mehr nach Schlesien zurückkommen zu können.

Ich selbst konnte an diesem achten Mai gar nicht viel zu dem Gespräch beitragen, ich war zu aufgewühlt, um ermessen zu können, was das überhaupt heißt: bedingungslose Kapitulation. Wie sieht es zu Hause an der Nahe aus, in meinem Heimatort Hargesheim bei Bad Kreuznach, wie steht es um meine Eltern, um meine älteren Brüder Adam und Willi, die beide ebenfalls Soldaten waren? Mich bewegte auch die Frage, was nun wohl die Norweger tun werden, mit denen wir doch recht friedlich zusammengelebt hatten. Als ich hinaus auf den Innenhof der Baracken ging, stürmten viele Soldaten auf mich ein: »Herr Leutnant, was nun, was wird mit uns?« Mein »Bursche« – wie man damals sagte – stammte aus dem Sudetenland; sein Vater, Deutscher, war bereits gestorben, seine Mutter, Tschechin, lebte in Hermannsstadt (heute Hermanova Hut). Auch er fragte: »Was wird mit uns, bin ich jetzt Tscheche?« Er war wohl entschlossen, was immer auch komme, in seine Heimatstadt, zu seiner Mutter, zurückzukehren, selbst wenn er seine Nationalität wechseln mußte. Vor allem für Soldaten aus den östlichen Gebieten Deutschlands war die Zukunft viel ungewisser als etwa für uns, die wir vom Rhein kamen.

Ich zog mich in meine Unterkunft zurück und grübelte. Aber die Antwort fand ich erst später, im Hungerwinter 1945/ 1946, in französischer Kriegsgefangenschaft. Gegen dreizehn Uhr hörte ich plötzlich von der Straße her Gesang, norwegischen Gesang. Ich öffnete die Barackentür und sah Hunderte von Norwegern mit Fahnen, mit Gesangbüchern in den Händen. Ein Pfarrer ging voran. Norwegische Freiheitslieder und Choräle erklangen. Zunächst wollte ich die Tür schnell wieder schließen in der Annahme, die Norweger könnten an diesem Tag ihrer Befreiung mit nicht gerade friedlichen Absichten kommen. Indes, als ich merkte, daß der Zug sich ruhig und ohne ein Zeichen von Aufregung oder gar Gewalttätigkeit fortbewegte, blieb ich gebannt stehen. Das war doch unvorstellbar: kein Haß!

Ich weiß nicht, was jene Norweger am achten Mai 1945 bewegte, so ruhig und friedlich ihrer Freude über das Ende der Besatzungszeit Ausdruck zu geben. Ich weiß nur, daß sie uns, den fremden Eindringlingen, ein Beispiel großer Menschlichkeit gaben. Hundertfünfzig Kilometer nördlich des Polarkreises hatten wir eine Lektion zu lernen. Daran mußte ich später noch oft denken. Humanitas üben, verzeihen können, das war wichtiger als alles andere. Mich hat dieses Erlebnis mein ganzes Leben lang nicht mehr losgelassen.

LISELOTTE FUNCKE
Hagener Impressionen

Für meine Heimatstadt Hagen lag der Tag der Kapitulation vor dem achten Mai 1945. Sie wurde am 14. April von einem verständigen Oberbürgermeister kampflos übergeben. Das Rhein-Ruhr-Gebiet war von den Alliierten großräumig eingekesselt und dann eingenommen worden.

Einen Monat zuvor war unser Haus das Opfer eines Bombenangriffs geworden. Wir – meine Eltern, Geschwister und eine einquartierte Familie – hatten uns aus dem Keller des brennenden Hauses retten können. Mit wenigen Habseligkeiten zogen wir in einen leerstehenden Büroraum des Familienunternehmens, vor der Tür die ausgebrannte Registratur, in der zwei gerettete Jungkaninchen munter herumsprangen.

Die Stadt war mehrere Tage lang zur Plünderung freigegeben worden. Ehemalige Kriegsgefangene, Zwangsarbeiter aus dem Osten und Angehörige der siegreichen Streitkräfte beteiligten sich im Taumel des Sieges intensiv daran. Man hörte von Überfällen, Besetzungen und Morden. Dazwischen schossen versprengte deutsche Werwolfgruppen aus der Umgebung willkürlich in die Stadt.

Wir lebten im Fabrikgelände zwischen dreißig kriegsgefangenen Franzosen, siebzig polnischen und über dreihundert russischen Arbeitern und Arbeiterinnen. Daß uns nichts Böses geschah, während aus anderen Betrieben Morde und Übergriffe gemeldet wurden, war der menschlichen Behandlung zu verdanken, die die Ausländer zuvor durch die Firmenleitung und den geschickten Beauftragten für die Ausländerbetreuung erfahren hatten. Es erwies sich, daß die Menschen aus dem Osten ein feines Empfinden für Menschlichkeit hatten und Dankbarkeit auch in der Stunde der Triumphe bewahrten.

Schwer ist es zu beschreiben, wie ich den achten Mai 1945 empfand. Für uns stand die Niederlage seit langem fest, nicht aber, was eine bedingungslose Kapitulation bedeuten könnte. Zum Nachdenken blieb nicht viel Zeit, die Gegenwart forderte ihren Tribut. Schon seit Wochen füllten kilometerlange Wege und stundenlanges Anstehen für ein halbes Brot oder ein Pfund Möhren die Tage, zudem das Bemühen um finanzielle Mittel für den Wiederaufbau der Fabrik, für deren Beschaffung ich als Abteilungsleiterin verantwortlich war. Es ist in Zeiten allgemeiner Hoffnungslosigkeit und Verzweiflung gut, wenn man ein begrenztes Ziel hat, das zu erreichen sich lohnt.

Ich komme aus einer liberalen Familie, die dem Nationalsozialismus kritisch gegenüberstand. Meine Mutter hörte im Krieg allabendlich den verbotenen englischen Sender. So erfuhren wir wenige Monate zuvor, daß meine Schwester als Rote-Kreuz-Helferin nach dem sechs Wochen langen Kampf um die Festung Brest in amerikanische Gefangenschaft geraten war. Sie kehrte Ende Februar 1945 braungebrannt und gut versorgt im Austausch gegen amerikanische Gefangene über Traunstein zu uns zurück.

Als am achten Mai 1945 Deutschland kapitulierte, mühten sich die Bewohner Hagens bereits, die Kriegsfolgen zu beseitigen. Trümmerfrauen putzten Steine, die Kriegsschäden an den Produktionsstätten mußten beseitigt werden. Es galt, gegen die Demontage deutscher Betriebsstätten zu kämpfen. Als Abteilungsleiterin der von meinem Urgroßvater gegründeten

Schraubenfabrik fühlte ich mich für den Fortbestand des Werkes und für die seit Generationen darin beschäftigten Arbeitnehmer verantwortlich. Es gelang in mühsamer Kleinarbeit, das Werk zu retten und wiederaufzubauen. Dabei mußte immer wieder – laut Besatzungsorder – von den wenigen dienstbereiten und -fähigen Mitarbeitern eine festgesetzte Anzahl für öffentliche Arbeiten abgestellt werden.

Der achte Mai 1945 war ein Anfang und eine Chance, so schwer die Niederlage auch wog. Niemand hätte damals den wirtschaftlichen Aufschwung und die politische demokratische Stabilität vorauszusagen gewagt, die sich im Westen unseres Landes entwickelten. Damals galt es, die Trostlosigkeit der ersten Nachkriegsjahre materiell und ideell zu überwinden. Hunderttausende Jugendliche streunten im Niemandsland umher, Kriegerwitwen wußten nicht, wie sie ihre Kinder ernähren könnten, Maschinen wurden demontiert, Patente geraubt.

Notzeiten entwickeln Talente. Es war die Zeit der persönlichen Initiativen. Über sie gelang das »Wirtschaftswunder Deutschlands«, das in der Folge die Bundesrepublik Deutschland zu einer der führenden Wirtschaftsnationen der Welt werden ließ. Ich weiß, wieviel persönlicher Mut, wieviel Phantasie und Initiative dazu gehörten. Damals hatte ich die Vorstellung, daß unsere Arbeit, die Arbeit der »verlorenen Generation«, nur der Brückenschlag zu einer unbelasteten und unbefangenen neuen Generation sein könnte, doch hat sich gerade die erste politische Nachkriegsgeneration als besonders tragfähig für die neue Republik erwiesen.

Nach dem achten Mai 1945 warteten wir auf ein Lebenszeichen von meiner Schwester, die kurz vor dem Einmarsch der Amerikaner auf zerstörten Verkehrswegen zu einem neuen Rote-Kreuz-Einsatz aufgebrochen war, und von meinem Bruder, der auf einem Flugplatz in Brandenburg von den Russen überrollt sein mußte. Beide kehrten zurück, mein Bruder im Herbst 1945 aus russischer Gefangenschaft, weil ihm – ausgehungert – nicht nur die Kraft, sondern auch das Schuhwerk für einen Arbeitseinsatz in Rußland fehlte. Nahezu barfuß schleppte er sich von der Warthe nach Berlin. In jener Zeit war auch in einer Einzimmerwohnung noch Platz für einen Heimkehrer.

HEINZ GALINSKI

Voraussetzungen zum Weiterleben

Den achten Mai 1945 erlebte ich in Berlin. Ich war in Auschwitz inhaftiert gewesen und durch glückliche Umstände dem Vernichtungslager entronnen. Schon in den Wochen vor dem endgültigen Zusammenbruch des Nazireiches beseelte mich meine selbstgestellte Aufgabe: mitzuwirken am Aufbau einer neuen demokratischen Gesellschaft in Deutschland.

Dies umfaßte viele Aspekte. Zunächst einmal galt es, für die wenigen Überlebenden der Konzentrationslager die Voraussetzungen zum Weiterleben zu schaffen, für elementarste Dinge des Alltags zu sorgen. Dann ging es um den Wiederaufbau von Berlin, an dem ich aktiv teilnahm. Aus der gar nicht zu Ende zu denkenden Vorstellung, was ein Sieg des Nationalsozialismus für viele Menschen bedeutet hätte, sah ich damals wie heute die Notwendigkeit, am geistigen Aufbau mitzuwirken. Es galt, aufklärerisch zu wirken, denn so unvorstellbar mir das zunächst schien: Ich traf schon im April 1945 Menschen, denen die Geschehnisse noch nicht deutlich geworden waren, die manches einfach nicht begriffen hatten. Natürlich war es immer mein Bestreben, die alte, traditionsreiche und weltweit bedeutende Berliner jüdische Gemeinde wieder zu begründen. Dies ist geschehen, und wir können mit Stolz auf manches Erreichte zurückblicken.

Ich möchte den Versuch machen, einige Lehren für unsere Gegenwart zu umschreiben.

Gerade in der heutigen aktuellen Diskussion, wo es um Frieden geht, um die Sicherung unserer Zukunft, um die Qualität des mitmenschlichen und des politischen Umgehens, sollten

Begriffe auf ihre tatsächliche Bedeutung überprüft werden. Es ist erforderlich, vor der Verwendung falscher Begriffe und falscher Inhalte eindringlich zu warnen.

Die Nationalsozialisten waren angetreten mit dem Versprechen, eine dem Volk entsprechende Politik zu betreiben, ihre politischen Wurzeln aus dem Volk zu beziehen. Was sie aber praktizierten, war eine Politik gegen das Volk, gegen jene, die nicht in das Phantom einer »Volksgemeinschaft« paßten. Der achte Mai 1945 war daher der Tag der Befreiung aller Deutschen.

Wir erleben im politischen Bereich immer wieder, daß Personen und Organisationen, die etwas ganz anderes wollen als das, was sie vorgeben, Begriffe mißbrauchen wie seinerzeit die Nazis den »Volksbegriff«.

Im Bereich des Rechtsextremismus ist festzustellen, daß beispielsweise eine der nicht unbedeutenden Gruppen sich als die »freiheitliche Rechte« bezeichnet. Tatsächlich geht es jenen nicht um Freiheit, nicht um die Förderung des Individuums, sondern um eine Neuauflage eines zumindest stark autokratischen Staates, dessen totalitäre Züge man nur zu gut erahnen kann. Ich bin der Auffassung, daß immer wieder deutlich gemacht werden muß, daß die Verwendung von Begriffen wie eben Freiheit sehr sorgsam erfolgen muß und daß die dazu aufgerufenen Institutionen wie die demokratischen Parteien, die Gewerkschaften und andere auch dafür Sorge tragen müssen, daß nicht der hohe Stellenwert solcher grundlegenden Begriffe der demokratischen Gemeinschaft durch Extremisten entwertet wird. Wobei ich an dieser Stelle auch betonen möchte, daß der Linksextremismus meiner Ansicht nach ebenso fatale Folgen zeitigen kann wie die, die offen von antisemitischen Rechtsextremisten beabsichtigt werden. Zudem müssen wir beobachten, daß aktuelle politische Stellungnahmen verglichen werden mit Willkürhandlungen der Nationalsozialisten. Das ist unangemessen und bedeutet eine Verharmlosung.

Dieses habe ich immer wieder vertreten; meine eigene persönliche Lebensgeschichte wurde dadurch entscheidend schon in jungen Jahren geprägt. Wir waren sicher nicht immer erfolgreich. Viele unserer Mahnungen, viele unserer Klarstellungen fanden nicht die Beachtung, die ihnen zukam. Es lassen sich viele Beispiele dafür finden, wie sinnvoll es gewesen wäre, rechtzeitig bestimmten Entwicklungen Einhalt geboten zu haben.

Resignation darf aber nicht die Folge sein. Wir müssen Anlässe wie den vierzigsten Jahrestag des Kriegsendes benutzen, um einem negativen Zeitgeist der Vereinfachung, der Verharmlosung oder gar Verherrlichung dessen, was zum Zweiten Weltkrieg führte und was das Naziregime überhaupt erst möglich gemacht hatte, entgegenzutreten.

GÜNTER GAUS

Der achte Mai im April

An den achten Mai 1945, den Tag, als der vorerst letzte Krieg in Europa amtlich zu Ende ging, an diesen Tag erinnere ich mich nicht. Ich meine, ich habe keine Erinnerung an ihn im Sinne einer Tagebuchnotiz, in der etwa festgehalten sein könnte, wie das Wetter an jenem achten Mai war, was ich an dem Tag tat, was ich an Gedanken und Empfindungen für mich als erinnerungswert befand. Nichts davon. Der Tag des achten Mai 1945 als dieser eine besondere, hervorgehobene, dessen man nach vierzig Jahren noch gedenkt, ist als historisches Datum damals nicht in mein Bewußtsein gedrungen.

Das hat einen banalen Grund, über den freilich im jeweiligen historischen Abstand wenig nachgedacht wird. Gewaltige, umstürzende Vorgänge wie zum Beispiel der damalige Krieg und seine Beendigung sind – bevor sie zu Geschichtsdaten gerinnen, solange sie unmittelbar berührende Gegenwart sind – das genaue Gegenteil von dem, was uns als Geschichte gewöhnlich präsentiert wird: Je mächtiger der Vorgang, um so stärker zersplittert er in unzählige Einzelteile; jedes Teilchen ein Mensch mit seinem Geschick. Was im gehörigen Abstand dann Historie ist, die ihre Merkdaten hat, ist ganz und gar privat, während es geschieht.

Die Menschen erleben, erleiden ihre privaten Geschichten, deren Summe später als Geschichte in einen Singular verwandelt wird, der die Vielzahl der Einzelteile verdrängt. Das Wort *Verdrängung* soll hier durchaus, auf die Geschichte und ihre übliche Lesart hin gesehen, jenen psychischen Mechanismus bezeichnen, der die Keime schwerer seelischer Erkrankungen in sich trägt. Nur die Verdrängung der Geschichten macht die Geschichte harmlos (wortwörtlich), ermöglicht ihren Mißbrauch als Stimulans und hilft beträchtlich bei der Wiederholung alter – historisch verblaßter – Fehler.

Seinerzeit, vor vierzig Jahren, gab es faktisch und im Bewußtsein nur Geschichten. Weil Geschichte – während sie stattfindet, mit uns umspringt, wir ihr Rohmaterial sind – privat ist, hat es im Frühjahr 1945 viele, ungezählte Male einen achten Mai gegeben. Das Wetter übrigens war an allen diesen Tagen in Deutschland so herzerhebend schön, wie man es sich nur wünschen kann. Es waren ein Frühling und ein Sommer von größter natürlicher Pracht.

Mein achter Mai 1945 liegt Mitte April desselben Jahres. Um den zwölften April herum – genauer erinnere ich mich nicht mehr – ist es gewesen: mein privates Geschichtsdatum vom Kriegsende. Von ihm weiß ich, anders als vom historischen achten Mai, alles Wichtige ganz genau; nichts davon ist über die Jahre verlorengegangen.

Zwei Wochen vorher war ich mit einigen aus meiner Schulklasse in den sogenannten Volkssturm eingereiht worden. Was wir in dessen Reihen erlebten, war weit weniger gefährlich, als wir es im Jahr vorher im Bombenkrieg *mitgemacht* hatten. Wir lagen in einer Schule herum, übten mit Panzerfäusten und Pistolen und aßen Schokolade aus *Fliegerverpflegung*, was uns mehr imponierte als daß das bittere Zeug gut geschmeckt hätte.

Unter der Führung von drei Erwachsenen, die jedenfalls über zwanzig Jahre alt waren – ein Offizier, zwei Unteroffiziere, einer von ihnen nach meiner Erinnerung ein Österreicher –, zogen wir Halbwüchsigen schließlich aus meiner Heimatstadt Braunschweig in Richtung Elm (das kleine Mittelgebirge, das viele aus Kreuzworträtseln kennen), um den weiteren Vormarsch der Amerikaner nach Osten, auf Berlin zu, stoppen zu helfen. Ein Kindertraum. Im November 1929 geboren, war ich damals, im April 1945, fünfzehn Jahre alt. In einem Dorf richteten wir die Barrikaden wieder auf, die von den Bauern schon abgeräumt worden waren. Wir waren nicht beliebt, obwohl wir Kinder waren. Die Leute atmeten auf, als wir weiterzogen. Wir trafen Männer von der SS, die uns in ihren Krieg mitnehmen wollten. Wir atmeten auf, als sie uns dann doch zurückließen. Nach ein paar Tagen hatten die Erwachsenen so viel Vertrauen zueinander gefaßt, daß sie sich zumuteten, unsere Truppe aufzulösen und uns nach Hause zu schicken. In zwei Nächten – über die Felder marschiert; die Dörfer waren von den Amerikanern besetzt; tagsüber waren *Fremdarbeiter* unterwegs – gelangten mein Schulfreund und ich nach Braunschweig zurück, wo inzwischen die *Amis* eingezogen waren.

Jetzt kommt er, mein achter Mai mitten im April. Ich war wieder zu Hause bei meinen Eltern: was davon, über den nächtlichen Marsch dahin, über die Ängste auf dem Weg, über das Ankommen alles zu sagen wäre. Ich begnüge mich hier mit dem Wichtigsten. Am ersten Abend zu Hause, als ich ins Bett ging, legte ich ab, was Oberbekleidung genannt wird. Die Wäsche darunter behielt ich gewohnheitsmäßig an; solche begründete Vorsicht sicherte seit langer Zeit beim allnächtlichen Fliegeralarm einen nützlichen, notwendigen Zeitgewinn, mit dessen Hilfe man früh genug in den Bunker gelangen konnte. Meine Mutter kam ins Zimmer. Nein, sagte sie, du kannst alles ausziehen. Du kannst die Nacht durchschlafen. Wir haben Frieden.

So einfach, so bedeutsam, so privat, so konkret war das. Die Mutter sagte nicht, der Krieg sei zu Ende. Sie ging einen Schritt weiter: Wir haben Frieden, sagte sie. Du kannst alles ausziehen. Ich tat es. Diesen Blitz einer unmittelbaren Erkenntnis habe ich nicht vergessen. Ich weiß konkret und als Privatmann, was Frieden bedeutet.

Noch zwei Eindrücke von den vielen, die mir damals zuwuchsen, will ich hier aus meiner Erinnerung anfügen an meinen achten Mai. Einige Zeit nach dem – nein: nicht nach dem wirklichen, das war meiner im April, sondern nach dem kalendergemäß korrekten – achten Mai 1945, dem historischen Tag der bedingungslosen Kapitulation, las ich in einer Zeitung der Besatzungsmacht den letzten Bericht des Oberkommandos der Wehrmacht, herausgegeben unter dem Datum des neunten Mai. In diesem OKW-Bericht wird auf pathetische Weise der Krieg bilanziert, quittiert – und dann steht in ihm der Satz: »Jeder Soldat kann deshalb die Waffen aufrecht und stolz aus der Hand legen und . . . tapfer und zuversichtlich an die Arbeit gehen . . .«

Bis auf den heutigen Tag erschrecke ich vor der *naiven Anmaßung,* der *dreisten Selbstverständlichkeit,* mit der nach allem, was gewesen war, ein solcher Satz formuliert wurde: ein Schulterklopfen sozusagen; ein vorweggenommenes *business as usual.* Das war es nun für dieses Mal, sagt der Satz, nun kannst du wieder deinem Tagewerk nachgehen. – Dieser Schoß ist fruchtbar noch.

Der zweite Eindruck stammt aus dem Sommer jenes Jahres. Ich war mit dem Fahrrad in ein nahes Dorf gefahren, um Milch zu holen. Ein Freund, aufgescheucht von einer Nachricht im amerikanischen Soldatensender, fuhr mir nach. Er war – anders als ich – naturwissenschaftlich sehr interessiert, und was er gehört hatte, bewegte ihn so, daß er sein Wissen sogleich mit mir teilen wollte. Ich war schon auf dem Rückweg. Auf einer staubigen, sonnigen Straße sehe ich ihn auf mich zufahren und höre ihn schon von weitem mir zurufen: Sie haben eine Atombombe gezündet, über Hiroshima. Es gibt eine Atombombe.

EUGEN GERSTENMAIER
Der Krieg ist aus

Nun also – der Krieg war zu Ende und Deutschland ruiniert. Wir standen auf dem Zuchthaushof der Musenstadt Bayreuth und sahen uns an. Stumm. Das war also das Ende. Ohne jeden Kommentar gingen wir auseinander. Selbst unsere Ausländer blieben in diesem Augenblick wortlos. Monate-, jahrelang waren sie unsere Gefährten gewesen. Jetzt war es damit vorbei. Die Gemeinschaft der vom gleichen Schicksal Geschlagenen löste sich auf. Rasch, still, unabwendbar. Es hatte Stunden gegeben, in denen wir fast so etwas wie Brüder gewesen waren. Damit war es jetzt aus. Wir waren eben auch nur Deutsche. Vielleicht eine andere Sorte, die nicht, noch nicht unter Generalanklage gestellt wurde, über der aber doch das allgemeine Verdikt stand: Deutsche.

Ich erinnere mich nicht an lauten Jubel. Uns Deutschen war einfach nicht danach. Es war, als hätten wir alle eine Vorahnung davon, was uns erwartete. Zumindest Mühe, Hunger und Arbeit. Und die andern, die bisherigen Schicksalsgefährten, die Grund zum Jubel gehabt hätten, waren auch eher nach innen gekehrt. Wie werden wir die Heimat vorfinden, wer lebt noch, wer hat alles überstanden? Die Sorge, die kaum gedämpfte Sorge der langen brieflosen Zeit meldete sich auch bei ihnen. Sie unterdrückte den Jubel und warf die meisten auf sich selber zurück. Die Wartezeit wurde uns lang. Wir waren schon am 14. April befreit worden. Amerikanische Panzer fuhren nach einer Art Ultimatum, auf das sich von deutscher Seite, wenn man den Gerüchten glauben durfte, überhaupt nichts ereignete, in die still gewordene Stadt ein.

An einem herrlichen, blühenden Frühlingstag liefen wir nach der kargen Weisung, unser Gefängnis schleunigst zu verlassen, aber wiederzukommen, den Wiesenhang hinauf, der unsere Anstalt umgab, und verdrückten uns, Deckung suchend, in den Wäldern. Unten in unserer Anstalt II heulten derweil die bettlägerigen Genossen. Sie wollten mitgenommen werden. Aber daran war nicht zu denken. Unsere Kräfte reichten bei weitem nicht aus, sie zu tragen. Wir mußten sie dem Risiko des amerikanischen Panzerbeschusses aussetzen. Ihm zu entgehen war der Sinn unserer hastigen Flucht. Aber dazu kam es glücklicherweise nicht, soviel Sinnloses und Verbrecherisches sich in jenen letzten Wochen nazistischer Befehlsgewalt auch ereignete. Wir verloren noch teure Freunde zum Beispiel an den Galgen von Flossenbürg – so Admiral Canaris, General Oster, Pastor Bonhoeffer, Generalrichter Sack und andere Männer.

Bei der Aufnahme in Bayreuth war ich wie die andern in eine schwarze Uniform mit gelben Streifen gesteckt worden. Dazu hatten wir eine schwarze barettartige Kopfbedeckung zu tragen. Mit ihr sahen wir eher dämlich aus, es sei denn, wir gehörten zu den wenigen Bekleidungskünstlern, die sich darauf verstanden, auch damit noch etwas herzumachen.

Bei der Befragung durch den Zuchthausdirektor – er war kein Schreier, sondern ein schmalbrüstiger, eher ordentlicher Mann – hatte ich die Fragen nach Beruf und Herkommen wahrheitsgemäß beantwortet, mich aber in Ausreden verlaufen, als ich nach dem Grund meines Bayreuther Zuchthausaufenthalts gefragt wurde. Ich wollte nicht sagen, daß ich zu den Übriggebliebenen des 20. Juli gehöre. Sie mußten jedenfalls und fast zu jeder Zeit mit allem rechnen. Ich rechnete beispielsweise mit Geheimbefehlen zu unserer Liquidierung, um so mehr, als ein Vertreter der Gestapo bei Freislers Verlesung meines Urteils lauthals »Fehlurteil« in den Saal gerufen hatte. Der Herr Direktor wollte mir meine etwas wirre Geschichte auch nicht einfach abnehmen. Er bemerkte etwas resigniert: »Na, wir werden ja sehen, wie es damit steht, wenn die Akten kommen.« Mir war die Antwort ein Grund zur Freude. Denn ich schloß daraus, daß diese Akten erstens noch nicht da waren und daß sie zweitens in den letzten Kriegswochen schwerlich noch in Richard Wagners Tempelstadt gelangen würden. So war es denn auch.

Ich weiß nicht, waren es höhere Gesichtspunkte des Arbeitseinsatzes oder andere tiefere Erwägungen unseres (tschechischen) Oberkapos Podgorny. Jedenfalls sollte ich eines Tages verlegt werden in die »Kanonenfabrik«. Sie lag einige Kilometer außerhalb Bayreuths. Deshalb wurde ich, beaufsichtigt von einem Justizwachtmeister mit Karabiner, in ein Lokalzügle gesetzt und von Bayreuth abtransportiert. Der Zug war voll besetzt. Ein Gefangenenabteil gab es nicht. Zwei etwas vollschlanke Damen rückten zusammen – und ich hatte Platz. In meiner Zuchthausmontur war ich unter so vielen braven Bürgersfrauen doch befangen und senkte meinen Blick. Plötzlich wurde meine Hand ergriffen, und eine der Frauen drückte mir ein mit Butter und Wurst belegtes Brötchen hinein. Lange hatte ich dergleichen nicht mehr besessen. Wer nicht wie wir Zuchthäusler ewig an nagendem Hunger litt, weiß nicht, was eine solche Gabe bedeutet. Ich war bewegt, ja erschüttert, daß ich um meine Fassung ringen mußte. Nie mehr habe ich die Frau gesehen. Als eine große Dame steht sie bis heute in meiner Erinnerung.

Die Absicht meiner damaligen Obrigkeit ist übrigens kläglich gescheitert. Ich hatte vor der leichten Glastüre der Kanonenfabrik zu warten, derweilen mein Justizwachtmeister mich in dem Büro zu übergeben hatte. Das mißlang gründlich. »Was ist der Mann denn?« wurde er gefragt. Wahrheitsgemäß antwortete er: Konsistorialrat. Dann gab es eine kurze Pause und dann ein einziges langgezogenes »Was? Wollt ihr uns auf den Arm nehmen?« Sie hatten mit einem tüchtigen Schlosser, Mechaniker oder mindestens mit einem Schreiner gerechnet. Mit dem Konsistorialrat fühlten sie sich provoziert. Zaghaft bat mein Justizwachtmeister, doch einen Versuch mit mir zu machen. Aber da half alles nichts. Es war für die Katz, wie man in meiner Heimat zu sagen pflegt.

Derlei lag nun in jenen Maitagen alles hinter mir. Die Vorbereitung auf den Frieden war abgeschlossen. Ich wartete mit den andern Deutschen auf eine Transportmöglichkeit in die Heimat. Die anderen Nationen waren allmählich weg. Von den Deutschen hatten sich jedoch nur die sogenannten Kriminellen davongestohlen. Wir wollten ordnungsgemäß »entlassen« werden. Denn wir waren ja »Politische«. Außerdem gab es noch immer keinen Zug oder eine andere Transportmöglichkeit für uns.

Da sah ich eines Mittags einen Personenwagen mit den Insignien des Internationalen Komitees vom Roten Kreuz vor unserem Zuchthaus stehen. Der Delegierte hieß Jean Köster. Er forderte mich auf, ihn unverzüglich nach Genf zu begleiten.

Die Formalitäten erledigte er zusammen mit dem Captain Miller, dem amerikanischen Stadtkommandanten, rasch und bravourös. In Zürich gab es das erste Wiedersehen mit engen Freunden, sie hatten mich zu den Toten gezählt. Erst nach der Feier wurde mir sterbensschlecht. Indessen: Was zählte derlei schon. Der Krieg war aus.

JUTTA GIERSCH

Rückblick

Wenn ich wiedergeben sollte, was ich am Tage der bedingungslosen Kapitulation aller deutschen Truppen erlebt, gedacht und gefühlt habe, dann wäre das – nur auf diesen Tag bezogen – relativ wenig. Daß die Schrecken der letzten Kriegstage, in die ich hautnah und leidvoll eingespannt war, sich ihrem bitteren Ende zusteigerten, hatte jeder gespürt, der dabei war.

Ein paar Tage vorher war ich gerade erst sechzehn Jahre alt geworden – und hatte dennoch schon hinter mir, was junge Menschen von heute allenfalls für zwei Stunden im Kino oder Fernsehen flüchtig kennenlernen: Fronterlebnisse blutigster und rohester Art. Es dauerte eine ganze Weile, bis ich dieses allzu frühe »Grenzerlebnis« vom Untergang unseres Volkes und einer frevelhaften Illusion zu verarbeiten und gedanklich mit neuen Augen einzuordnen imstande war.

Deshalb hat der achte Mai 1945 selbst als kalendarisches Datum in meiner Erinnerung keinen besonderen Stellenwert. Für mich gehört das »Vorher« und »Danach« untrennbar dazu. Wenn man so will, hat *mein* achter Mai mehr als ein halbes Jahr gedauert.

Im Rahmen des »totalen Kriegseinsatzes« auch der deutschen Jugend war ich in Berlin einer Lazaretteinheit zugeteilt worden, der in letzter Minute die Flucht aus Berlin ins noch feindfreie Schleswig-Holstein gelang. Hier hörte ich dann am achten Mai vom Ende der Kampfhandlungen.

Daß die Unterzeichnung der Kapitulation im Hauptquartier Eisenhowers in Reims durch die vom Hitler-Nachfolger Großadmiral Dönitz entsandten Generaloberst Jodl und Generaladmiral von Friedeburg vollzogen wurde, habe ich erst später erfahren.

Vor der überstürzten Flucht mit der Lazaretteinheit aus Berlin hatte ich schon monatelangen Lazarettdienst und zahllose Katastropheneinsätze unter den pausenlosen Luftangriffen der alliierten Bombengeschwader hinter mir. Mit Männern der Feuerwehr, der Luftschutzverbände, mit Soldaten und russischen Hilfswilligen aus Kriegsgefangenenlagern hatte ich verletzte und tote Menschen aus Trümmern und Brandruinen geborgen und Leichengeruch zu ertragen gelernt. Ich hatte das Schreien und Wimmern Verschütteter und Sterbender erlebt und Überlebende wie irre vor Entsetzen umherrennen sehen müssen. Mir erschien es fast wie ein Wunder, überhaupt lebendig davongekommen zu sein!

Momentweise dachte ich an meine Klassenkameradinnen, die vor Jahresfrist schon mit der Schule aus Berlin in die Gegend von Danzig evakuiert worden waren. Doch da Mutter allein zu Hause bleiben und Vater irgendwo an der Front um seine Haut kämpfen mußte, war ich nicht mitgegangen, sondern in Berlin geblieben, zum Sanitätsdienst herangezogen worden und somit mitten ins Kampfgeschehen der gnadenlosen Schlacht um Berlin geraten.

Da gab es keine Diskussionen mehr, da mußte, wer überleben wollte, zupacken!

Im Rückblick kann ich nur sagen: Wir funktionierten schon fast wie menschliche Automaten, hatten gar keine andere Wahl, als zu funktionieren.

Ein Landser schob mir die erste Zigarette meines Lebens zwischen die Lippen, wie er mich Tote bergen sah, und bemerkte dabei galgenhumorig: ». . . dann hältste den Jestank besser aus, Mädchen . . .« Komischerweise blieb dieser Anflug von Mitmenschlichkeit im Inferno des Untergangs lebhaft in meiner Erinnerung haften.

Nicht genug der Fliegerangriffe, im April rückte uns dann auch die Artillerie der vordringenden Roten Armee immer drohender nahe, bis meine Lazaretteinheit sich zu dem gewagten Versuch entschloß, mit allen verfügbaren Fahrzeugen die Flucht aus Berlin zu riskieren. Ich hatte längst das Gefühl für Tag und Nacht verloren. Schlaf gab es nur für Augenblicke, in denen ich vor Erschöpfung nicht mal mehr die Granaten pfeifen oder einschlagen hörte. Mir fielen Erzählungen meines Vaters aus dem Ersten Weltkrieg ein . . .

Eine kleine Panzerabwehrgruppe, die auch aus Berlin raus wollte, schlug uns nordwestlich eine Bresche durch den russischen Truppenring, der die Stadt schon eingeschlossen hatte. Doch gerettet waren wir noch lange nicht! Unheimliche Tieffliegerangriffe machten uns den Fluchtweg nach Westen zur blutigen Hölle.

Kurz vor Neumünster war es, als eine Geschoßgarbe den Fahrer, neben dem ich saß, unverhofft durchsiebte. Der Wagen mit Verwundeten auf der Ladefläche landete trotz Rotkreuzfahne im Straßengraben. Als ich begreifen konnte, lag ich unter der blutenden Leiche des Fahrers, der mir gerade noch erzählt hatte, daß in Neumünster seine Familie lebe, bei der er kurz nach dem Rechten sehen wollte. Den »Luftspäher«, der zur Beobachtung des Himmels gegen Tiefflieger auf dem Kotflügel des Wagens gesessen hatte, sah ich auch nicht lebend wieder. Erst meinte ich, selber zu bluten. Aber wunderbarerweise war ich unverletzt geblieben. Der Fahrer, der seine Familie rasch mal wiedersehen wollte, fand am Straßenrand sein provisorisches Grab, »Jugendeindrücke«, die ich nicht vergessen kann.

Wenige Stunden danach traf unsere Kolonne auf die ersten feindlichen Soldaten. Es waren Engländer, die uns gefangennahmen, aber im Sanitätsdienst mit unseren Verwundeten beließen. Ich war »Gefangene«, aber außer Gefahr.

So war der achte Mai nur noch der formale Schlußpunkt unter einem grausamen Kapitel für mich! Obwohl erst sechzehn Jahre alt, begann dennoch schon der Verstand zu arbeiten, nach Aufklärung zu forschen für die Hintergründe und Zusammenhänge des Erlebten, nach Sinn und Sinnlosigkeit dessen, was nicht nur ich, sondern alle Überlebenden nun hinter sich hatten.

Wie jeden bewegte mich zudem die angstvolle Frage nach dem Schicksal meiner Angehörigen, natürlich auch die Frage, wie es nun wohl weitergehen würde, was aus meinem Leben wohl noch werden könnte, was für eine Zukunft mir wohl bevorstehe?!

Und das waren denn wohl auch schon die ersten Ansätze eines politischen Denkens, das mich künftig nicht mehr losgelassen hat. Ich suchte nach Erklärungen für das Geschehene, um es überhaupt begreifen zu können, stieß auf neue Wege und Vorbilder zu einer besseren Zukunftsbewältigung; ich erlebte schließlich die Gründung der Bundesrepublik und die Formulierung humaner »Spielregeln« in Gestalt des Grundgesetzes. Ich wurde eine engagierte Verfechterin der Demokratie, aber leider auch schon bald wieder Opfer einer anderen Diktatur, denn im Oktober 1949 schon verschleppte mich ein Agent des russischen NKWD aus demselben Berlin, dem ich im Frühjahr 1945 glimpflich entronnen war.

SOPHIE GOLL
Die Ankunft der neuen Götter

Untermenschen wurden nach offizieller Sprachregelung im Dritten Reich die Bürger des Sowjetstaates genannt. »Bolschewist« war nicht nur ein schlimmes Schmähwort; es signalisierte dem Beschimpften, daß er als »Feind im gesunden Volkskörper ausgemerzt« werden kann. Bolschewist zu sein übertraf die Verdächtigung, mit den »zersetzenden jüdisch versippten Plutokraten« im fernen Westen zu liebäugeln. Bolschewisten und Plutokraten waren des arischdeutschen Herrenmenschen hinterhältigste Feinde: Teufel des Zynismus und der Verführung; nur darauf aus, die edle Rasse auszulöschen.

So hämmerte es die Nazipropaganda in deutsche Köpfe, und massenpsychologische Beeinflussung trieb die Deutschen, die

Großdeutschen – in Überheblichkeit, Haß und Angst fest zu-
sammengeschweißt – dem GröFaZ in die Arme. »Der größte
Führer aller Zeiten, Adolf Hitler«, war uns, dem herrlichsten,
dem verkanntesten Volk der Völker, »von einer weisen Vorse-
hung geschenkt worden«. Dieser Retter des großgermanischen
Abendlandes, so die faschistische Verheißung, würde uns vor
den Untermenschen im Osten und dem verjudeten Geldgesin-
del im Westen bewahren . . .

Nun trieb die Front der »Untermenschen« vom Osten her
die Vollstrecker deutscher Expansionsgelüste über die Weich-
sel zurück, über die Oder bis an die Elbe. Einige wüteten wie
Berserker; besonders wenn ihnen ihre Anführer den schmerz-
haften Erinnerungsstachel ins Fleisch trieben: Denkt an die
Verbrechen, die Deutsche im Sowjetland verübt haben! Denkt
an die Millionen Toten, an die Krüppel, an eingeäscherte Städte
und Dörfer, an verbrannte Erde! Leichengeruch lag überm weiten Land, und die vorrückenden sowjetischen Soldaten hatten
ihn in der Nase.

Kein Wunder, daß die deutschen Menschen sich fürchteten
vor den »roten Horden«. Kein Wunder auch, daß sich die jahre-
lange Greuelpropaganda jetzt hier und dort bewahrheitete. Kein
Wunder, daß Menschen in Massen flohen – die einst in Massen
hysterisch gejubelt hatten! –, um sich in die Arme der westlichen
Sieger zu retten. Ja, zu retten! Denn von den westlichen Alliierten, insbesondere von den großmütigen und freiheitsbewußten
Amerikanern, wurden ähnliche Untaten nicht berichtet.

Wir, mittendrin im lieblichen Thüringen, wir warteten sehn-
süchtig darauf, bald durch die atlantischen Übermenschen ver-
einnahmt zu werden. Sie würden uns die neue Qualität der
Freiheit bringen. Bevor sie jedoch leibhaftig erschienen, schickten sie ihre Racheengel. Am achten April 1945 – es war ein ruhiger Sonntag mit unveränderter »Feindlage« – bombardierten
sie zwanzig Minuten unsere kleine militärlose Stadt; bekannt
in der Musikwelt und als Luftkurort. Als die sechs Racheengel
abdrehten, ließen sie lodernde Trümmer zurück, viele Tote und
Verletzte. Vierzig Prozent der Stadt S. waren zerstört. Die

Brände schwelten noch, als die Sieger drei Tage später einzogen.

In der Frühe des fünften April war ich nach dreitägiger aufregender, häufig von Tieffliegerbeschuß und kaputten Schienen unterbrochener Fahrt endlich daheim angekommen. In der letzten Nacht sah ich des »Führers Wunderwaffe«, die V2, lautlos unterm klaren Sternenhimmel westwärts fliegen. Mein Lehrer hatte mich in Wien in einen der letzten Züge gesetzt, Richtung »Altreich«. Er hatte es meiner Mutter so versprochen.

Ich wollte Wien nie verlassen. Nun kam ich heim, um in einen Luftangriff zu geraten, der wüster war als alle, die ich in den großen Städten Berlin und Wien überlebt hatte! Auch in S. zeigte der Krieg seine brutalste Fratze, die Bombardierung wehrloser Zivilisten. Die verängstigten Bewohner der unteren Stadt suchten ab Montag Schutz in einem alten Felsenkeller im Schloßberg. Wir in der Oberstadt hatten es näher zum Wald und lagerten uns im Schutz der Bäume und Sträucher.

Der ungewöhnlich warme Frühling hatte alles schon so begrünt, daß wir uns am Waldrand sicherer fühlten als in Wohngebieten. Wäre der Anlaß nicht so ernst gewesen, die angespannte Erwartung eines neuen Luftangriffs nicht so belastend, wir hätten uns geruhsamer Picknickseligkeit hingeben können. Die leisen Gespräche drehten sich um die allernächste und um die fernere Zukunft. Radiomeldungen wurden weitergegeben. BBC-Nachrichten machten unbekümmert die Runde. Feindsender abzuhören war uns ja seit 1939 bei schwerster Strafe verboten! Ein Nachbar, mit dem Vater täglich lange Gespräche über den Zaun geführt hatte, war denunziert und vor zwei Jahren zu einer langen Zuchthausstrafe verurteilt worden. Dabei hatte er noch Glück, weil ihm das KZ oder die Todesstrafe erspart blieben. Mit seiner Verhaftung versiegte für die Eltern die wichtigste Nachrichtenquelle. Unser kleiner Volksempfänger gab außer Pfeif- und Rauschtönen nichts her. Die deutschen Störfrequenzen überlagerten die BBC-Sprecher. Das änderte sich erst, als wir hinter der Westfront lagen.

Montag und Dienstag zogen die Bollerwagenkarawanen in

den Wald. Ein Aufklärer kreiste surrend, beobachtete uns. Manchmal schoß er im Tiefflug über uns hinweg und verbreitete Panik. Am Mittwoch wurde die Spannung unerträglich. Ein Gerücht machte die Runde: dem Obernazi Kreisleiter sei ein Ultimatum von den Amerikanern gestellt: kampflose Übergabe; wo nicht, erneutes Bombardement. Angst, Wut und Verzweiflung verbündeten sich. Nun war alles egal und alles erlaubt. Auf der Straße hörten wir plötzlich laute Stimmen, Rufen und Rennen.

Frauen waren mit großen Körben unterwegs, um Lebensmittel zu ergattern; mit oder ohne Marken. Hauptsache, sie fielen den Soldaten nicht in die Hände! Nicht den eigenen und nicht den fremden. Die hatten doch gesicherte Verpflegung. Aber wer würde sich um uns kümmern? Mutter und ich liefen mit. Da, Motorenlärm. Über die nahe Hauptstraße donnerte es heran. Die Amerikaner kommen! Vorsichtshalber versteckten wir uns hinter einem Zaun . . . Nein, da fuhren doch tatsächlich noch zwei deutsche Panzer westwärts! Aus der Stadt war inzwischen Gewehrfeuer zu hören. Die Lage war nun völlig unübersichtlich, und wir hielten es für ratsam, uns im Keller zu versammeln und auf das Ende zu warten; den neuen Anfang.

Mutter hatte schon seit Tagen eine Kochstelle im Keller eingerichtet, und ihr Eintopf hielt Leib und Seele zusammen. Mittags wurde die Schießerei schwächer und hörte gegen 13.30 Uhr ganz auf. Neugierde trieb mich in die Mansarde. Von hier aus sah ich durchs Fernglas den Höhenzug im Norden jenseits des weiten Tals. Auf der Chaussee vor dem Wald konnte ich gleichmäßige Schlangenbewegungen ausmachen. Fest preßte ich das Glas vor die Augen. Nein, ich irrte mich nicht: die Glieder der grauen Schlange waren große Militärfahrzeuge. Da sie ungehindert stetig fuhren, konnten es nur die erwarteten amerikanischen Truppen sein. Schnell die Treppe runter, raus aus der hinteren Gartentür, über die Wiese, durch die leere Straße bis zum Berghang. Ich holte tief Luft, war wie in einem Rausch. Das ich dort unten sah, war überwältigend! Ein Heerlager füllte das Tal aus. Große Zelte, Panzer, Lastwagen, Jeeps. Während wir noch ängstlich auf das Ende der Schießerei in der Stadt warteten, waren auf einer anderen Straße, als wir vermuteten, längst die Sieger eingezogen. Es war toll, es war unbeschreiblich!

Vorbei, vorbei, vorbei. Ich tanzte und hüpfte, sang und brüllte es durch die stille Straße: vorbei, vorbei, der Krieg ist aus! Fenster wurden geöffnet, Leute kamen aus den Häusern, starrten mich ungläubig an, wollten wissen – aber ich wies ihnen nur die Richtung des Ereignisses, denn ich hatte es eilig. Atemlos stürzte ich in die Küche: »Der Krieg ist aus! Die Amerikaner sind da, die Amerikaner sind da!« Es war Mittwoch, der elfte April 1945.

Vater stand mitten im Raum, sah mich fassungslos an und ließ sich dann auf einen Stuhl fallen. Sein Kopf sank vornüber auf den Tisch, und er fragte leise: »Darüber kannst du lachen?« Er weinte. »Armes Deutschland! Armes, armes Deutschland!« Immer wieder sprach er diese Worte. Ich verstand ihn nicht. Nie sah ich meinen Vater weinen, noch nie ihn so verzweifelt. Vor seinen Zornesausbrüchen hatte ich mich gefürchtet, wenn er seine Wut gegen Hitler, dessen Bande und die braunen Stadtmatadore daheim austobte. »Jubeln mußt du! Jubeln – nicht weinen! Die Nazis sind weg, der Krieg ist aus, es gibt keinen Faschismus mehr! Das war es doch, was du immer wolltest.« Ich begriff ihn nicht, wie er da hockte, zusammengesunken, und nicht versuchte, seine Tränen zu verbergen.

Armes Deutschland – wieso? Wir würden bekommen, was wir verdient hatten. War es die Sorge, daß auch Unschuldige sich würden mitverantworten müssen? Er hatte die braune Brut verachtet und gehaßt. Das war stadtbekannt. Sie hatten sein Leben und damit unser Familienleben vom Anbeginn ihrer Herrschaft fest im Griff. In gemeiner Weise hatten sie Vaters Gewissensnot ausgebeutet, ihn zynisch beobachtet, Katz und Maus mit ihm gespielt; sie ließen ihn und uns nicht zur Ruhe kommen. Gestapo-Verhöre und zuletzt Buchenwald. In den nächsten Tagen würde er erfahren, daß sein Name auf der Todesliste stand, die bei zurückgelassenen Gestapo-Akten gefunden wurde. Nun hockte der um viele Jahre seines Lebens betrogene

Mann nach meiner Krieg-aus-Meldung vor mir und weinte. Drei Jahre würde er noch leben. Nichts verstand ich damals von dem, was ihn mir später so nahebrachte. Die wichtigsten Gespräche mit ihm – gerade mit ihm – wurden nie geführt. Schuld und Sühne? Schnelles Vergessen, neuer Übermut. Was blieb, ist Verdrängung und Heuchelei.

An jenem Mittwoch, dem elften April 1945, machte ich mich mit Mutter frohgemut, erwartungsvoll und frei von Trauer auf den Weg in die Stadt. Wir wollten die Sieger sehen, die Übermenschen von einem Kontinent, in dem alles überragender war als irgendwo sonst auf der Welt. Wir wollten die Götter der Freiheit begrüßen, die Nazibezwinger, die Alleskönner. Wir standen am Straßenrand – fast allein – und hielten uns fest an den Händen, als der Jeep vorüberfuhr. Vier Männer saßen drin, drei richteten ihre MPs auf Fenster, Türen und Dächer. Auch auf uns. Prächtig sahen sie aus, gesund und braungebrannt; nicht so hohlwangig wie wir. Ihre hellen aufmerksamen Blicke trafen sich mit unseren scheuen schlafentwöhnten Augen. Die Strapazen der Schlacht um Europa sah man ihnen nicht an. Stolz, schön und unnahbar glichen sie höheren Wesen. So mögen fünfhundert Jahre zuvor Indios die weißen Götter bestaunt haben in Ehrfurcht wie wir die ersten amerikanischen Soldaten im Jeep. Trümmerstaub wirbelte auf. Mutter und ich lächelten uns an: Nun ist es gewiß, der Krieg ist aus. Nie wieder kann es nach diesem Völkermorden Krieg geben. Voller Zukunftshoffnung gingen wir heim.

Drei Stunden später entthronten sich die Göttergleichen. Zwei von ihnen klingelten Sturm, und als wir zaghaft öffneten, verlangten sie barsch und ohne Umschweife Gold und Silber: Teller mit Goldrand und Silberbesteck. Für ihre Offiziere. Die hatten sich am Ende der Straße im prächtigsten Haus einquartiert. Der Oberförster mußte es räumen. Sie drohten uns eine Hausdurchsuchung an, falls sich in anderen Häusern das Gewünschte nicht auftreiben lasse! Sie kamen nicht wieder. Entweder waren sie fündig geworden, oder sie hatten ihren Irrtum bezüglich deutscher Eßsitten erkannt.

Die ersten Besatzungssoldaten blieben vierzehn Tage. Hinter unserem Garten parkten sie auf der Wiese und auf den Feldern klotzige Militärfahrzeuge. Vater ging jeden Tag durch die Pforte, besah sich alles und fraternisierte ohne Scheu. Jedesmal brachte er etwas von ihren Tagesrationen mit. Auch Zigaretten. Da er an seinen Pfeifentabak »Marke Bahndamm« gewöhnt war, brachte ihn eine Navycut fast um. Mit Kreislaufstörungen lag er nach dem ungewohnten Genuß im Bett.

Eines Nachmittags standen zwei betrunkene Amerikaner in der Küche. Riesen von Gestalt. Großmutter schrie laut auf, Türenschlagen, Brüllen; meine Mutter kam die Treppe herunter; Großmutter versuchte, mich einzuschließen, denn beim Klavierspielen hatte ich den Anfang überhört. Und Vater war draußen im Camp... Vorsichtig öffnete ich die Tür und sah, wie die baumlangen Kerls Mutter und Großmutter mit Pistolen vor sich hertrieben. Richtung Keller. Ich schloß mich dem Zug an. »Cognaaak« brüllten sie, »Cognaaak!«, wobei sie die zweite Silbe stark betonten und dehnten. Ich fürchtete, daß auf der engen Kellertreppe eine Pistole losgehen könnte; sie fuchtelten so besoffen damit herum. Cognaaak! Als Mutter den Schnaps aus dem Regal nahm – die letzte Weihnachtszuteilung in einer Weinflasche –, gerieten sie in Wut und dachten, wir wollten sie veräppeln. Nix Wine, Cognaaak! Das Dämmerlicht gab der grotesken Situation einen schauerlichen Reiz. Ich kramte mein Schulenglisch zusammen und erklärte ihnen, warum Weinflaschen in Germany auch Cognac enthielten. Sie guckten zweifelnd auf uns runter: Nix Gift? No, kein Gift. But a gift – eine Gabe – for you. Noch immer mißtrauisch, steckten sie die Waffen weg. Mutter faßte sich nun ein Herz und fragte nach einem Korkenzieher – der war schnell zur Hand, und Großmutter griff danach, stellte sich schützend vor ihre Tochter und öffnete die Flasche. Reichte sie einem der beiden Riesen hin. Aber er wehrte ab. Erst trinken, befahl er... Da uns nichts Ungewöhnliches zustieß, griff er nach der Flasche, roch, strahlte »Cognaaak« und trank.

Die Zeit verging. Mutter und ich machten schon Anhalterfahrten, um Eßbares ranzuschaffen. Dann kam die zweite Besatzungswelle. Fröhliche, friedliche schwarze Amerikaner, die, wenn sie keinen Dienst hatten, auf den Zäunen oder am Straßenrand vor ihren Quartieren hockten und mit Kindern wie Kinder spielten. »Hello, Blondy«, riefen sie, wenn sie mich im Garten sahen.

Sperrstunde war um siebzehn Uhr und der Frühling zu schön, um ins Haus zu gehen. Wir richteten uns auf dem Balkon ein. Ich lernte Skat. Wir genossen gemeinsam die Stille der sanften Dämmerung und den Anbruch der Nacht. Wenn wir den Himmel beobachteten, hatten wir keine Angst vor Fliegenden Festungen mehr. Wir sahen Wolken ziehen, sahen Mond und Sterne leuchten und fragten in die Dunkelheit: Wo sind K. und R.? Leben sie, sind sie verwundet, irgendwo gefangen? Seit vielen Monaten waren wir ohne Lebenszeichen von meinen Brüdern.

Als am achten Mai endlich offiziell das Morden und Abschlachten beendet wurde durch die bedingungslose Kapitulation derer, die den Krieg geschürt und geführt hatten von Berufs wegen – hatten wir uns in S. schon in der Zeit danach eingerichtet.

In the Mood. Jeden Tag swingte es fröhlich und mutmachend aus dem Radio. In the Mood wurde meine Befreiungsmelodie; sie besiegte den Schrecken und verhieß uns gutgelaunt eine angstfreie Zukunft. Am achten Mai 1945 ahnten wir nicht, daß die neue Zeitrechnung erst am sechsten August 1945 in Hiroshima beginnen würde als eine unfaßbare neue Bedrohung.

JOHANN BAPTIST GRADL
Die Hitler kommen und gehen . . .

Den Zusammenbruch habe ich in Berlin erlebt. Für die Hauptstadt des Reiches wurde die Kapitulation schon am zweiten Mai 1945 vollzogen. Das geschah durch den Befehlshaber des Führerbunkers der Reichskanzlei, nachdem Hitler sich am 30. April umgebracht hatte. Die sowjetischen Truppen hatten das Gelände eng eingekreist. Dies war das eigentliche Ende. Die Bevölkerung erfuhr es allerdings nur in Gerüchten.

Der Wehrmachtsbericht hatte für den 15. April ausgesagt, daß »die Amerikaner über die Elbe südöstlich Magdeburg vorgedrungen« seien. Der rasche Vormarsch der westlichen Truppen seit Ende März und die Mitteilung desselben Berichtes, die Amerikaner seien auch bis Leipzig und Chemnitz vor- und in Bayreuth eingedrungen, gab den Berlinern Hoffnung, daß neben den seit Ende Januar an der Oder wartenden sowjetischen Formationen auch die westlichen Verbände Berlin besetzen würden. Nun aber mußten die Berliner erleben, daß weiterer westlicher Vormarsch nach Berlin ausblieb, hingegen die russische Eroberung begann.

In der Frühe des 15. April hörte ich aus östlicher Richtung heftiges und pausenloses Artilleriefeuer. Es läutete – und dies war nicht nur mir klar – den Schlußakt ein. Der Wehrmachtsbericht des nächsten Tages besagte denn auch, daß »die Bolschewisten nach heftigem Trommelfeuer in den Morgenstunden den Großangriff zwischen Neißemündung und Oderbruch begonnen« haben und daß »an der ganzen Front erbitterte Kämpfe« tobten. Vom Westen aber gab es für Berlin nichts Neues. Ich hatte in den Wochen zuvor mal von diesem, mal von jenem gehört, daß das ganze Deutschland in Besatzungszonen aufgeteilt würde und ebenso auch Berlin.

Als nun – bei westlichem Stillstand nicht einmal hundert Kilometer vor Berlin – die Rote Armee in raschem Tempo vorrückte, breitete sich in der Bevölkerung tiefe Enttäuschung, zum Teil Panik aus. Dichte Scharen zogen über die Ausfallstraßen in Richtung Potsdam und Spandau »den Amerikanern entgegen«, wie sie meinten. Zugleich flüchteten aus den umkämpften Randgebieten andere Scharen in die Stadt. So ergab sich ein völliges Durcheinander. Als gar die Kampfhandlungen mit einem russischen Zangenangriff die Stadt auch vom Westen her erfaßten, gab es noch einmal viele Tote und Verletzte.

In jenen Tagen lebte ich umherziehend, zuerst, um mich dem »Volkssturm« zu entziehen, nachher, weil meine Wohnung im Südwesten der Stadt nicht mehr zugänglich war. Immer wieder fand ich bei Freunden einen Platz. Aber ich mußte den Aufenthalt ständig wechseln, denn schließlich hatte jeder mit sich und den Seinen genug zu tun. Außerdem galt es, wenigstens Brot aufzutreiben. Um so hautnäher erlebte ich das Geschehen.

Am Sonnabend, dem 21. April, war ich auf dem Weg zu meinem Behelfsbüro nahe der Straße Unter den Linden. An der Ecke Friedrichstraße erlebte ich den Beginn des Artilleriefeuers auf die Innenstadt. Am darauffolgenden Montag gelang mir noch einmal der Weg in die Innenstadt. Aber nur mit mehrfachem Glück kam ich aus dem nun von Polizei und Parteiformationen gesperrten Zentrum heraus. Der Wehrmachtsbericht, den ich an diesem Mittag im Luftschutzkeller einer Bank in der Wilhelmstraße hörte, und der Augenschein machten endgültig deutlich, daß nur noch die Suche nach Deckung und Nahrung blieb – und Warten auf Überrolltwerden.

Für mich fand es in der Nacht vom 24. zum 25. April im Keller von Freunden in Zehlendorf-West statt. Bei verdächtiger Stille und unter vorsichtiger Erkundung stellte sich in der Frühe heraus, daß die Kampflinie schon in Richtung Stadtzentrum weitergerückt war. Vorbeirollende sowjetische Panzer verdeutlichten, daß man es von nun an mit der Roten Armee zu tun hatte. Man hätte gerne aufgeatmet, denn für uns Berliner schien es wenigstens gewiß, daß mit der Eroberung der Hauptstadt der Krieg am Ende war.

Und von dem Geschehen außerhalb Berlins wußten wir ja nichts. Doch das Aufatmen war sehr gehemmt. Alsbald gab es neue Schrecken durch die bekannten Übergriffe, die erst nach zwei Wochen nachließen. Zumal für die betroffenen Frauen waren die Übergriffe schrecklich. Es gab in der Nachbarschaft viele Familienselbstmorde. Auch konnte ich mich der Tatsache nicht entziehen, daß mit der Roten Armee eine sehr fremde Welt Berlin ergriffen hatte.

Zumal in jenen 14. Tagen vom 21. April bis zum zehnten

Mai war mit das Schlimmste auch, daß man von der Außenwelt völlig abgeschlossen war, daß jede Nachricht und Verbindung fehlte, daß es keine Zeitung und keinen Rundfunk, kein Telefon, ja nicht einmal Strom gab. Der erste, sehr umfängliche Besatzungsbefehl – wohl vom 28. April – machte neben dem Gesamtgeschehen zusätzlich deutlich, daß wir als Deutsche nunmehr völlig ausgeliefert waren. Das Stadt- und Straßenbild wurde beherrscht von der Roten Armee.

Ich bin in Berlin 1904 geboren und habe es also in sehr verschiedenen politischen Phasen kennengelernt – aber doch immer als gültige und wirksame Hauptstadt meines Vaterlandes. Jetzt aber war Berlin nicht nur unermeßlich zerstört, sondern in fremder Hand und unter fremder Hoheit und mit ihm das ganze Land. Immer wieder trat mir in jenen Tagen ein Bild vor Augen, ein Foto von der Besetzung Prags durch deutsche Truppen Mitte März 1939. Damals hatte mich dieses Bild erschüttert: deutsche Marschkolonnen, abgeschirmt durch tschechoslowakische Polizisten, hinter denen Bevölkerung stand, erkennbar tief deprimiert und viele weinend, so das Foto. Jetzt spürte ich am eigenen Leib, wie das ist, fremd besetzt und völlig ausgeliefert zu sein. Wir waren nur noch Objekt, und das hatten wir uns überdies selbst zuzuschreiben.

Daß die Kampfhandlungen in Berlin tatsächlich abgeschlossen waren, erfuhr ich durch einen Maueranschlag: »Berlin hat am zweiten Mai kapituliert.« Nichts darüber, wie es anderswo weitergegangen war, und schon gar nichts darüber, wie es weitergehen sollte.

Anschläge an Häusern, Bäumen und Plakattafeln ersetzten Rundfunk und Zeitung. Neben Anordnungen des Militärbefehlshabers, darunter auch karge, aber äußerst willkommene Lebensmittelzuteilungen, war am vierten Mai auch der Text einer Siegesrede von Stalin zu lesen und unabhängig davon besonders hervorgehoben ein Satz, den ich gerne als Zeichen von Hoffnung verstehen wollte. Der Satz lautete: »Die Hitler kommen und gehen, das deutsche Volk, der deutsche Staat bleiben bestehen.«

Erst am neunten Mai erfuhren wir durch ein großes Fest-
schießen der Eroberer mit Leuchtspurmunition usw. die bloße
Tatsache, daß am achten Mai die Wehrmacht endgültig und insgesamt kapituliert hatte. Dabei fand der Akt der Kapitulation
am achten Mai in Berlin statt, in einem östlichen Vorort. Es
dauerte Wochen, bis die nächste Zukunft wenigstens in Umris-
sen erkennbar wurde. Zweifachen Trost hatte ich. Zum einen
war ich heilfroh, daß ich meine Frau mit unseren Kindern
rechtzeitig im Bayerischen Wald bei Verwandten hatte unter-
bringen können. Ein Lebenszeichen bekam ich von ihnen allerdings erst im September.

Zum anderen: Gleichgesinnte fanden sich schnell wieder zusammen. Am Sonntag, den 29. April, war Kirchgang möglich.
Der erste sowjetische Befehl enthielt eine Fülle von Verboten,
aber Kirchgang am Sonntag war zugelassen. Bei dieser Gelegen-
heit begegnete ich in einer Zehlendorfer Kirche alten Vertrauten
aus der Weimarer Zeit, die über »tausend Jahre« hinweg verbunden geblieben waren. Auf der Stelle begannen Gespräche, wie es
wohl weitergehen würde. Spontan wurde einhellig bekundet,
diesmal müsse es von den Demokraten besser gemacht werden
als in Weimar. Daß uns die Einheit Deutschlands genommen
werden könnte, das allerdings haben wir selbst in jenen schrecklichen Tagen uns nicht ernsthaft vorstellen können.

Martin Gregor-Dellin
Überfahrt

Hier in Cherbourg, im April 1945, konnten wir es uns nicht
erklären, warum ausgerechnet unser kleiner Haufe, das letzte
Aufgebot aus Abiturienten und alten Landwirten, das mittel-
französische Hungerlager Attichy hatte verlassen dürfen und
nun noch einmal ausgesondert und von den übrigen Kriegsgefangenen getrennt werden sollte. Gerüchte über eine Verlegung
ins Innere des Landes oder nach England kursierten, aber daß

dies alles nicht zutreffen mochte und der Ratschluß höherer Instanzen im Krieg undurchsichtig blieb, hier wie dort, das hatte ich nun ein Dreivierteljahr lang erfahren, seit ich, nicht ganz achtzehnjährig, in diese Kriegsmaschinerie geraten war.

Um nicht von ihrem Räderwerk zermalmt zu werden und so gut es ging zu überleben, einfach weil mir mein Unbewußtes sagte, dies alles lohne den Einsatz nicht mehr, hatte ich mich auf einen kleinstmöglichen Punkt in mir zurückgezogen, war zusammengeschrumpft und unter einem Tarnhelm verschwunden, der sogar vor mir selbst meine wahren Empfindungen verbarg, mit einem Wort: Ich hatte keine. Als ich Jahre später las, Papst Gregor habe die Zeit vor seiner Erwählung in einer winzigen, mit Flüssigkeit gefüllten Mulde eines Steines verbracht, kam mir dies sonderbar vertraut vor; man konnte sich auf die Maße eines menschlichen Herzens verkleinern, so daß die Geschosse an einem vorbeiflogen und die Anfechtungen und Erschütterungen einen nicht berührten.

Es hieß nämlich auch, wegzuhören, nichts mehr zu glauben, was man vorher geglaubt hatte, nichts an einen heranzulassen, solange diese eine Krise nicht durchgestanden war, von allem Abschied zu nehmen, das hinter einem lag, ohne es allerdings völlig zu vergessen, das Erinnerte vielmehr eingekapselt in sich zu bewahren und fortzunehmen in eine Phase der Bewußtlosigkeit, hinter deren Horizont die Vergangenheit, in diesem Fall die ganze Kindheit, wie eine Insel im Meer versinkt.

Sehe ich mir allerdings heute die Achtzehn- oder Neunzehnjährigen an, so scheint es mir, als wären wir damals doch noch immer Kinder gewesen, denen dies alles viel zu schwerfiel und die in dieses Kriegsende stürzten wie in den Betäubungsschlaf einer verlängerten Pubertät, und übrigens waren die »alten« Landwirte, die man mit uns in das letzte Trommelfeuer im Hürtgenwald trieb, so alt auch wieder nicht. Nur konnten sie immerhin unsre Väter sein.

Von den Gefährten der kurzen Ausbildungs- und Frontzeit war mir nach einem wirren Durcheinander in der Eifel nur der Halberstädter Treidler geblieben, mit dem ich in Attichy hungernd auf endlosen Spaziergängen lange Speisefolgen entwarf und der dann später hoffentlich jenes Mädchen geheiratet hat, mit dem er alle diese Speisefolgen von oben bis unten mehrmals hintereinander heruntere ssen wollte. Neben ihn trat in Cherbourg mit einemmal der Optiker Schröder aus Frankfurt am Main, von dem ich irgendwann vor der Entlassung aus der Gefangenschaft getrennt wurde und den ich leider nie wiedergesehen habe, obwohl ich ihm, dem Älteren, ein zunächst unscheinbares, aber entscheidendes Erlebnis verdanke, das zu meiner Wiedererweckung aus dem Zustand der flüssigen Kugel, zu meiner Bewußtseinsauferstehung und politischen Neugeburt nicht wenig beigetragen hat, und das kam so.

Bei der Bekanntgabe von Roosevelts Tod im April 1945 stand Schröder neben mir auf dem Appellplatz des Lagers von Cherbourg, das auf einem kleinen Hügel gelegen war, und während das Sternenbanner auf halbmast gesetzt wurde, begann Schröder in reinstem Hessisch, das er schmallippig und übrigens immer sehr leise und ein wenig zischend artikulierte, neben mir etwa folgendermaßen zu flüstern: Dieser Mann, Franklin D. Roosevelt, das solle ich mir jetzt und auf der Stelle merken, sei im Gegensatz zu manch anderen ein sehr großer Mann gewesen, ein bedeutender Mann, der, längst krank, den Sieg noch habe sich abzeichnen sehen, obwohl er den Triumph nun anderen überlassen müsse, und es werde einen Triumph geben ohnegleichen; dieser Mann also, auch wenn man noch nicht wisse, ob er abermals wie die Staatsmänner nach 1918 mit dazu beigetragen habe, den Krieg zu gewinnen, aber den Frieden zu verspielen, er werde – und darauf könne ich mich verlassen – von den Amerikanern als der größte Präsident ihrer Geschichte bezeichnet werden, denn er, Roosevelt – so Schröder aus Frankfurt –, habe als einziger ein soziales Programm, den New Deal, ohne diktatorische Vollmachten auf demokratischem Wege verwirklicht und seinem Volke die vier Freiheiten, ohne sie noch ganz verwirklicht zu haben, mutig vor Augen gehalten, um die zu kämpfen und für die zu leben es sich lohne: die Freiheit von Not, die Freiheit von Angst, die Freiheit der

Rede und die Freiheit des Glaubens. Und dahinter verbergen sich das Ende der Armut, das Ende der Kriege, die Freiheit des Wortes und der Kunst und die Freiheit der Religionsausübung, wohlgemerkt: Freiheiten von etwas und zu etwas. So Schröder.

Ich weiß nicht genau, ob ich hier zusammenziehe, was in Wirklichkeit der Gegenstand mehrerer und immer wieder aufgenommener Gespräche war, die sich über Wochen hinzogen und meist von Schröder allein bestritten wurden, aber sie begannen, das weiß ich, an jenem Tage und mit der geflüsterten Ansprache in jenen Schweigeminuten zu Ehren Roosevelts. Kurz danach, es war jedenfalls Ende April, wurden Treidler, Schröder und ich einer Kolonne von etwa dreihundert Kriegsgefangenen zugeteilt, die sich nach dem Hafen in Marsch setzte und dort auf ein sogenanntes Liberty Ship, einen Kriegsschnellbau und Seelenverkäufer von 3500 BRT, der leer nach den Vereinigten Staaten zurückdampfte, verladen. Das heißt, den Zielort wußten wir natürlich nicht, wir glaubten nicht an eine Atlantiküberquerung, noch als wir vor Southampton vor Anker lagen, wo sich der für Mannschaften eigentlich nicht eingerichtete und unterproviantierte Transporter mit über hundert anderen Schiffen zu einem von Kriegsschiffen gesicherten Geleitzug vereinigte, da noch immer U-Boot-Angriffe befürchtet wurden.

Auf einem dieser anderen Schiffe befand sich der Dichter Hermann Lenz, dessen Eindrücke von der dreiundzwanzigtägigen Überfahrt, noch einmal hungernd verbracht, mit den meinen übereinstimmen. Wir kamen selten an Deck, was wohl am schlechten Wetter oder am schweren Seegang lag. Schröder und ich hatten uns aus einer Pappe ein Schachspiel mit Figurenplättchen zurechtgeschnitten, Schröder brachte mir Schach bei, und während dieser Spiele – ich habe später nie mehr Schach gespielt – fanden die Gespräche statt, in denen Schröder so etwas wie die Rolle Settembrinis aus dem »Zauberberg« übernahm (den ich in Amerika las).

Ich kann mich nicht erinnern, daß ich auf dieser anstrengenden, quälenden Schiffsreise aus den Gesprächen mit dem Optiker schon irgendwelche Schlußfolgerungen für mich gezogen oder die Gedanken Schröders ganz in mich aufgenommen und weitergedacht hätte, aber je länger wir fuhren, je weiter wir uns vom europäischen Festland entfernten, um so größer wurde auch die Distanz zur Vergangenheit, um so schärfer wurde Schröders Optik.

Daß mir der Zufall ausgerechnet einen Frankfurter Optiker als Gesprächspartner zur Seite gestellt hatte, gehört zu den Merkwürdigkeiten, über die mich zu wundern ich mir längst abgewöhnt habe. Woher Schröder seine politischen Kenntnisse und Überzeugungen hatte, weiß ich nicht, ebensowenig, wie ich auf sie reagierte – vermutlich nicht anders als Hans Castorp, der es auch nur bei einigen Nachfragen beläßt, bevor er das andre Ufer seines Lebens erreicht hat, sofern er es jemals erreicht. Aber als sich dann an jenem Maimorgen 1945 die Nachricht vom Tode Hitlers auf dem Schiff verbreitete, die Schröder nur mit einem kurz ausgestoßenen Gelächter quittierte, bei dem sich sein schmallippiger Mund unnachahmlich in die Breite verzog – wir lagen beide in den Hängematten –, da regte sich in mir überhaupt nichts oder vielmehr ein stillschweigend zustimmendes Einverständnis mit einer Geschichte, die so und nicht anders hatte ausgehen müssen.

Es stellte sich heraus, daß ich mit der Wirklichkeit von gestern bereits seit meiner Rekrutierung zum Militär am 30. Mai 1944 und einem kurz darauf folgenden Schockerlebnis abzuschließen begonnen hatte, wobei ich zu jener ungreifbaren flüssigen Kugel von der Größe einer geschlossenen Faust geronnen war. Jetzt fiel nichts mehr ab, jetzt war nichts mehr übrig. Mochten da zu meiner Verwunderung auch einige wenige unter den dreihundert im Bauch des Schiffes vor verwundetem Glauben – oder aus Unglauben an den Selbstmord Hitlers – noch aufschreien, toben und sich sogar schlagen, die meisten reagierten wie ich oder wie Schröder, oder sie waren wie Treidler damit beschäftigt, zu einigen zusätzlichen Schiffskeksen zu kommen, zu einer Sonderration auf dem schwarzen Markt, der über einen Mittelsmann, einen geschäftstüchtigen deutschen Gastwirt, zwischen Küche und Mannschaftsraum in Gang gekommen war: zwei Rationen gegen eine Armbanduhr.

Insofern der Hunger oder der Kampf gegen den Hunger die Politik verdrängte, und in einigem mehr, spiegelte die Situation auf dem Schiff bereits genau die Nachkriegswirklichkeit in den deutschen Besatzungszonen oder nahm sie vielmehr vorweg, und wenn ich mich heute frage, warum, nachdem die Angst gewichen war, dieser Wandlungs- und Umstellungsprozeß ohne Bedauern so schnell funktionierte, so ohne sichtbare Lüge und ohne Bruch in den Lebensläufen und Familien, dann finde ich vor allem jene Erklärung, die sich mein Optiker bei der ironischen Betrachtung seiner Mitgefangenen schon damals hätte zurechtlegen können, ohne daß ich mich erinnere, daß er sie wirklich ausgesprochen hat: Eine falsche Identifikation brach da, vereinfachend gesprochen, lautlos in sich zusammen, und mit dem Erlöschen des falschen Über-Ichs, des fatalen Götzen auf dem Thron, der durch magische Verleihung von Macht vom Oberstfeldzeugmeister bis herab zum Rottenführer der Pimpfe, von der Reichsfrauenführerin bis zum Blockwart über ein Volk von Führern geherrscht hatte, erlosch auch das ganze System aus Gelitzten, Gekragelten und Geschnürten und denen, die es jederzeit werden konnten, die ganze Reichsbeförderungshierarchie mit ihrem Anspruch auf Weltherrschaft, alle waren mit einemmal auf unheimliche Weise »freigesetzt« – fragte sich nur, wozu. Von Reichsgedanken oder »Nationalbewußtsein« oder wie die zahlreichen Quellen heißen mochten, aus denen sich das ideologische Gebräu gespeist hatte, blieb in diesem Moment erstaunlich wenig übrig, als mache sich jedermann in alle denkbaren Richtungen so schnell wie möglich davon und fliehe den Unrat, und in der Tat schien dies niemandem die geringsten Mühen oder Skrupel zu verursachen.

Ich erinnere mich eines äußerst leidenschaftslos geführten Gesprächs zwischen Kriegsgefangenen, das einmal bereits gegen Ende der Überfahrt auf dem Schiff stattgefunden haben muß, ein zweites Mal, und dann doch erheblich leiser und betroffener, nach der Vorführung jenes Dokumentarfilms, den das U.S. Signal Corps während und nach der Öffnung der deutschen Konzentrationslager angefertigt hatte und den ich seitdem in voller Länge nie wieder gesehen habe: Es wurde in diesen Gesprächen mit größter Ruhe und Gelassenheit die Auffassung vertreten, Deutschland, jedenfalls der westliche Teil davon, werde ja wohl nun für immer und ewige Zeiten amerikanische Kolonie oder Mandatsland bleiben, und das sei noch das Beste, was ihm passieren könne – und dem wurde kaum widersprochen. Es mag doch gut sein, zu wissen, was die damals Geschlagenen, die zur politisch maßgebenden Generation von heute gehören, in den Stunden ihrer Scham als die gerade noch einmal Davongekommenen gedacht haben. In einem Punkt bekam Optiker Schröder alsbald recht: Wen immer wir in Amerika nach dem bedeutendsten Präsidenten der Vereinigten Staaten fragten, wir erhielten die gleiche Antwort.

Den achten Mai 1945, den Tag der bedingungslosen Kapitulation und des Kriegsendes, erlebten wir noch auf dem Schiff, das keinen Namen hatte. Wenn ich mich recht erinnere, feierten die Amerikaner den Sieg in Europa nicht ähnlich triumphal wie den Sieg in Ostasien. Und was dachten wir? Wie empfanden wir, außer daß wir erleichtert waren? Den Schwur, niemals wieder ein Gewehr in die Hand zu nehmen, hatten die meisten von uns schon bei der Gefangennahme abgelegt, ich auf halbem Wege zwischen Düren und Köln. Jetzt standen wir zufällig einmal an Deck und sahen die zahllosen Schiffe des Geleitzugs sich aus den Wogen des Atlantiks heben und wieder in sie senken, und es stellte sich eigentlich nur das Gefühl ein: Mein Gott, wir fahren ja in die falsche Richtung!

Jetzt war der Krieg zu Ende, und wir entfernten uns immer mehr von Europa. Das war zwar nicht gerade eine Katastrophe, wie sich herausstellen sollte, beileibe nicht, es war nur einfach zum Lachen. Das Heimweh, an dem ich als Kind und noch bis in mein achtzehntes Lebensjahr so schrecklich und schmerzhaft gelitten hatte, daß ich glaubte, es nie überwinden zu können und daran einmal zugrunde zu gehen, war in Belgien, Frankreich und der Eifel ausgebrannt, die Wunde vereist; es war seit dem Zusammenschmelzen meines Bewußtseins auf einen Punkt einfach nicht mehr vorhanden. Es stellte sich auch nicht wieder ein, als die Entfernung von Europa immer mehr wuchs, und war auf eine gewisse Weise auch gegenstandslos geworden, nachdem mich in Amerika die Gewißheit eingeholt hatte, daß mit der Besetzung Thüringens durch die Sowjets die Vorkriegswelt meiner Kindheit mit ihrer gemüthaften Provinzialität, mit den traulichen Bratwurstständen an der Landstraße nach Weimar und dem sich eben erst – und zu spät – stabilisierenden Bürgertum der alten deutschen Mittelstadt, aus der ich stammte, ein für allemal untergegangen war. Der Blick ging nach vorn. Am Horizont tauchte die Freiheitsstatue auf, wir erkannten sie durchs Bullauge. Wir näherten uns New York.

PIERRE GRÉGOIRE
Worte ohne Folgen

Unsere Befreiung aus dem Vernichtungslager Mauthausen durch eine amerikanische Vorhut, unsere Selbstverwaltung bis zum Eintreffen der Befreiungsarmee sowie meine verantwortliche Mitwirkung – als Leiter einer Widerstandsgruppe im Lager – am zeitweiligen Ordnungs- und Sicherheitsdienst ließen mich – zwischen dem fünften und achten Mai 1945 – die unterschwellige Stimmung und Gefühlslage der heimwehkranken Häftlinge hautnah spüren. In meinem Erinnerungsbuch »Die Zäsur der Entscheidung« schilderte ich die Zustände vom achten Mai:

»Plötzlich, am dritten Tage, im Angesicht der Amerikaner, die nun selber die Leitung aller Lagerbelange übernommen haben, ist der Ausbruch da. Wie eine Urgewalt bricht er ein in die scheinbare Friedlichkeit der Gemeinschaft, die sich bereits in Gruppen aufgelöst und nach Nationen geschieden hat. Taifunartig rast die Leidenschaft. Verderben will sie, und Verderben sät sie. Die Henker von gestern sind nicht mehr erreichbar. Doch die Henkershelfer leben in ihrer Mitte. Sie schreit nach

Blut. Sie lechzt nach Vergeltung. Sie dürstet nach Rache. Und sie stillt sich selber. Ihr Rausch überfällt auch die Blockältesten, die Blockschreiber, die Kapos, die Vorarbeiter, die Hartherzigen der Vergangenheit und alles, was einmal gepeinigt hat. Fiat justitia! Lynchjustiz! Polen, Russen und Spanier sind Richter und Hinrichter zugleich. Aus allen Ecken jagen sie das Gehaßte, in allen Winkeln finden sie die schlotternde Angst der Verborgenen, welche früher als Tenöre arischen Heldentums die Bühne der Bestialität beherrscht hatten. Hin auf den Freiplatz! Nieder mit ihnen! Fünf haben wir, dreizehn kommen noch, vierzig müssen es sein. Drauf, ihr Kameraden! Mit den Füßen dem Geschmeiß ins Angesicht! Auge um Auge! Blut für Blut! Es lebe die Freiheit!

Der Ekel vor der entnervten Gemeinschaft wird zum Gemeinschaftsekel der Besonnenen. Das Übel aller Dinge, der geistigen wie der politischen und der wirtschaftlichen, gelangt wieder zur Herrschaft: die tötende Mediokrität, welche aus sämtlichen Schulen des Leides und der Qualen taub und unfruchtbar nach Hause geht.

Ich flüchte aus den neuen Regionen ihrer Aktivität und verlasse als Magazinbetreuer in amerikanischen Diensten das Lager, um unten im Tale, in der Nähe der Donau, wieder Weite und Ungebundenheit um mich zu fühlen. Da ist wieder der wahre Atem des Lebens. Ich sauge ihn ein, erbebe in seiner Fülle. Noch ist die Furcht da, der Hauch des Todes, welcher jahrelang in mich eingeflossen ist, vermischt sich mit dem trunken machenden Fluidum der Freiheit. Doch sie fällt, sie zieht sich zurück und läßt das andere sich unbehindert auswirken. Eine Decke über mir öffnet sich. Der Raum, ein herrlicher Raum, der als endlicher Bogen das Unendliche trägt, ist mein. Ich darf ihn suchen, wo ich will. Ich kann wieder die Ferne aus der Nähe befragen, wenn die Lust mich ankommt, und kein Gewehr droht hinter meinem Rücken her. Ich darf sagen, was ich denke, ich darf ausschreien, was mich erfüllt, ich darf singen, wenn das Herz mir in die Seele überläuft. Alles ist da, und Gott ist mit mir gewesen, da Er mich in die Herrlichkeit der

Wiedergeburt geführt hat, und ich will mit Ihm sein als ein Auferstandener, der das Wunder Seiner Glorie wie keiner hinter dem Nachthimmel der Schmerzen erkannt hat.«

Der Ton dieser Beschreibung läßt die nachträgliche Formulierung erkennen. Was erzählt wird, hat eine längere Reifezeit erfahren. Es wurde nicht aus dem wirklichen Klima des Kapitulationstages in die ersten besten – oder schlechten – Worte abgelegt. Die Wirklichkeit war schwer zu fassen.

In der SS-Lebensmittelzentrale, die ich als Übersetzer der Amerikaner zu verwalten hatte, fand ich zwei abgelagerte, verstaubte und an den Deckeln stark lädierte Schreibhefte, die ich mir aneignete. Ich wollte darin meine Gefühle und Gedanken – im Rausch der ersten Befreiungsstunden – abklären. Vierzig Jahre lang blieben die schäbigen Notizbücher in meiner Bibliothek verborgen und vergessen.

Hauptstück, wenn nicht alleiniges Thema der Vermerke war die kommende Auswertung aller Gefängnis- und Lagererlebnisse in einer neu zu gründenden Tageszeitung. National markiert, sollte sie bereits im Titel »ELO« zeigen, daß sie sowohl das Augenblicksgeschehen scharf umreißen als auch Menschen und Institutionen sondieren sollte. Dreisprachig sollte das kritisch und spritzig informierende Blatt sein: luxemburgisch, französisch und deutsch. Aber dann wurde doch ein Fünftitelunikum daraus. Mit einem Vorspruch in englischer Sprache: »Father in Heaven, please, let me score a success! You appealed to me and asked me to do a job, to do it well and to do it at once. See me do it NOW!« (Vater im Himmel, gewähre mir, bitte, einen Erfolg! Du wandtest Dich an mich und gabst mir einen Auftrag, den ich bestens, ohne Aufschub, erfüllen sollte. Sieh, ich vollende ihn JETZT.)

In den verschiedenen Beiträgen wurden die ganze Härte des Empfindens wiedergegeben. Die Erbarmungslosigkeit der allzulang entwürdigten Kreatur kommt zum Ausdruck. In Luxemburgisch hieß es:

»Mir hun di schwéierst Joere vun onser Geschicht iwerstan; mir stin an der Paart, déi iwerféiert an eng aner Zäit. Eent soll

Jiddereen erfueren, eent musse se alleguerte wessen, dat iwer der Paart geschriwe stät: Wat geschter war, kéint net méi erem. Haut gi Méinsche verlaangt, déi ais Eegewelt fir mar an iwermar opbauen. Vir an der Front stin déi, déi fennef Joer laang d'Feier vun der Nazityrannei erdroen hun, déi äus de Kazetter, äus de Prisongen, äus den Emsiddlungslageren an äus dem Maquis.« (Wir haben die schwersten Jahre unserer Geschichte überstanden; wir stehen in der Pforte, welche überleitet in eine andere Zeit. Eines soll jedermann erfahren, eines müssen alle wissen von dem, was über der Pforte geschrieben steht: Was gestern war, kehrt nicht mehr wieder. Heute werden Menschen verlangt, die unsere Eigenwelt für morgen und übermorgen aufbauen. In vorderer Front stehen diejenigen, welche fünf Jahre lang das Feuer der Nazityrannei ertragen haben, die aus den Konzentrationslagern, aus den Gefängnissen, aus den Umsiedlungszentren und aus dem Maquis.) Im französischen Teil wurde unter dem Titel »Au Pilori« (am Pranger) hart und hochmütig erklärt:

»Je me présente. Je suis appelé à ce poste par Sa Majesté la Douleur, le Procureur général dans la Cour des Grands Justiciers. Je suis l'Avocat des Infortunés et des Poursuivis. Je serai le porte-parole du Droit et de la Justice dans les bas-fonds peuplés par les politicards et leurs souteneurs. Et je confesse que j'ai fait inscrire sur mes armes un seul mot, qui est tout mon programme: Implacable!« (Ich stelle mich vor. Ich bin auf diesen Posten berufen von Ihrer Majestät der Qual, der Generalstaatsanwalt am Gerichtshofe der Großen Rächer. Ich bin der Verteidiger aller Unglücklichen und Verfolgten. Ich werde der Wortführer des Rechtes und der Gerechtigkeit in den Niederungen der Politikaster und ihrer Zuhälter sein. Und ich bekenne, daß ich auf mein Wappenschild ein einziges Wort habe eintragen lassen, das mein ganzes Programm darstellt: Unerbittlich!)

Und in deutscher Sprache wurde nicht weniger eindeutig gegen das einheimische Kratzen- (Professor Damian Kratzenberg war in Luxemburg der – nachträglich hingerichtete – Heim-ins-Reich-Führer) und Drückebergertum geurteilt:

»Hier gilt nur eine Sprache, jene der Niedertracht, der Feigheit und der Brutalität. Hier gilt nur ein Wort, das für alle Kratzen- und sämtliche Drückeberger am Anfang und am Ende ihres Verrates stand: das deutsche. Also reden wir durch jeden Widerwillen hindurch deutsch zu den Hitler-Jüngern von hüben, damit sie den vollen Sinn unserer Ausführungen erfassen und sich in keiner Weise auf eine Unverständlichkeit oder auf ein Mißverständnis berufen können. Denn wir wollen ihnen gegenüber klar sein bis zur Erdrückung und offen bis zur Vollendung. Das wenigstens haben wir gelernt in jenen furchtbaren Jahren der Erniedrigung, da wir in den Lehranstalten des SS-Hasses, in den Konzentrationslagern aller Grade, das Germanentum blaurot auf weiß an unsern Körpern wirken sahen . . .«

Vierzehn Tage später, beim Rückflug in die Heimat, war das Geschriebene bereits zum Vergessenen geworden. Die Erneuerung des nationalen Lebens forderte vom einzelnen wie von der Gemeinschaft solche Umstellungen im geistigen und körperlichen Habitus, daß die ersten menschlich, allzu menschlichen Reaktionen nach der Befreiung leicht im Fluß der Renovierungs- und Rekonstruktionsdinge untergingen: Worte des Ressentiments, die nicht zu harten Taten wurden! Und das war gut so.

Alfred Grosser

Eigenlob im Rückblick?

Die größte Schwierigkeit: daß sie mit ihren Schlagzeilen nicht zu früh kommen. Sie, das sind die fünf Tageszeitungen von Marseille. Ja, der V-Day steht vor der Tür, aber wir Pressezensoren haben den Auftrag, zu verhindern, daß die deutsche Kapitulation in der Presse steht, bevor sie stattgefunden hat. Um keine Minute zu verlieren, hat jede Redaktion seit beinahe einer Woche die Titelseite druckreif liegen. Armer Chefredakteur der »Marseillaise«! Er wird damit seine Stelle verlieren: In seiner Sonderausgabe steht: »Die Glocken sind ertönt, die Sirenen haben geheult, die Staatsoberhäupter haben gesprochen« – obwohl das alles erst am neunten nachmittags geschieht – und die Sonderausgaben sind am Morgen erschienen!

Ja, ich übte damals das Amt eines militärischen Pressezensors aus, im Rang eines Oberleutnants, obwohl ich der Armee nicht angehörte, was mir aber beispielsweise den Zutritt zum Offizierskasino verschaffte, wo ich einmal am Tag richtig essen durfte. Damals hungerte man noch sehr in Südfrankreich. Kartoffeln waren eine Seltenheit, Butter und Fleisch rationiert wie in den schlimmsten Kriegsjahren.

Wieso »wie in den Kriegsjahren«? War denn vor dem achten Mai nicht mehr Krieg? Gewiß doch, aber . . . Aber der eigentliche Krieg, den man am eigenen Leib erlebt, der war seit August 1944 vorbei. Auch für mich. Am 27. Mai 1944 war Marseille von der amerikanischen Luftwaffe bombardiert worden. 2000 bis 3000 Tote. Mit meinen Schülern (ich war mit gefälschtem Ausweis Lehrer in einer katholischen Privatschule, seitdem im September 1943 die Gestapo in Saint Raphaël ein paar Stunden zu spät gekommen war) hatten wir zehn Tage lang Verscharrte ausgegraben, erst Lebendige, dann Leichen. Am 15. August waren die amerikanische und die französische Armee in Südfrankreich gelandet. Bald darauf fanden die – recht bescheidenen – Kämpfe für die Befreiung von Marseille statt, an denen ich – noch viel bescheidener – teilnahm. Dann wollte ich zur ersten Armee, die nach Norden weiterzog, um die Deutschen auch in Deutschland zu bekämpfen. Aber ich hatte einen schweren Unfall, und so wurde ich halt als mit Gehstock humpelnder Zivilist militärischer Pressezensor, ungefähr an meinem 20. Geburtstag, der am ersten Februar lag, zu einer Zeit, wo eben der Krieg, das heißt die Front, weit, weit weg lag.

Am achten Mai gab es natürlich doch viel Freude. Oder eher eine große Erleichterung. Der Taumel hatte vor Monaten stattgefunden. Übrigens nicht für mich: Ich konnte mich schon damals nicht kollektiv begeistern, und in den Tagen der Befreiung hat es dazu wirklich zu viel Rache und Roheit gegeben! Im Mai stand man schon mitten in den Problemen des Wiederaufbaus – wirtschaftlich, politisch, persönlich. Auch ich hatte ein ganz unkriegerisches Nahziel: seit Januar schrieb ich tagsüber – Zensor war ich von 22 Uhr bis 3 Uhr früh – an meiner Magisterarbeit über Gerhart Hauptmanns Roman »Der Narr in Christo Emmanuel Quint«. Nicht geplant war, daß Hauptmann 1946 sterben würde und daß ich so meinen ersten größeren Artikel in einer Pariser Zeitung veröffentlichen könnte.

Ich habe den Artikel behalten. Er faßte das zusammen, was ich mindestens seit September 1944 über Deutschland dachte – über das Verbrechen und das Mitläufertum. Es mag recht überheblich klingen: Mit 20 Jahren war mir ziemlich klar, was dann während der nächsten 40 Jahre meine Einstellung zur »Schuldfrage« sein sollte. Entschieden hatte sich das während einer Nacht im August 1944, als ich in den BBC-Nachrichten gehört hatte, daß die Insassen des KZs Theresienstadt nach Auschwitz transportiert worden waren, um dort vernichtet zu werden.

Darunter war die einzige Schwester meines 1934 verstorbenen Vaters und ihr Mann, ein Arzt, der wie manche Berliner Juden sein Vaterland Deutschland nicht hatte verlassen wollen. Am nächsten Morgen war ich sicher, daß es keine Kollektivschuld gab, daß es aber notwendig sein würde, die Verführten, darunter die Jugendlichen, vom Einfluß der zahlreichen Schuldigen zu befreien. Am achten Mai stand fest, daß für mich die Germanistik Beschäftigung mit dem Nachkriegsdeutschland zu bedeuten hatte.

Also Eigenlob im Rückblick? Nur in sehr begrenztem Maß. Denn ich war mir damals über vieles nicht im klaren, das meiner »Berufung« im Wege gestanden hätte oder ihre Richtung hätte verändern sollen. Ich hatte eigentlich sehr wenig Ahnung von dem Ausmaß des Schreckens: das Leiden der Opfer Hitlers mit den beinahe unvorstellbaren Massenvernichtungen; das Leiden der Deutschen: Am achten Mai wußte ich nicht, daß in Gefangenenlagern ganz nahe von Marseille Tausende von deutschen Soldaten, darunter viele, die noch jünger waren als ich, buchstäblich verhungerten.

Und auch während der nächsten Tage versuchte ich nicht zu

wissen, was in Algerien gerade am achten begonnen hatte: Abertausende von unschuldigen Arabern sind da von französischen Truppen niedergeschossen worden als Repressalien für eine blutige Aktion von Nationalisten. Damals stellte ich mir bereits die Frage, ob Unwissen Mitschuld sei – dies auf Deutschland und die Deutschen bezogen. Im Rückblick weiß ich, daß eine bejahende Antwort mich an diesen Maitagen auch zum Schuldigen machte.

MAX VON DER GRÜN
The war is over

Welcher Tag es genau war, der achte oder neunte oder zehnte Mai, das weiß ich nicht mehr, jedenfalls erschien – was selten genug war – an dem bewußten Morgen der Lagerkommandant persönlich zum Zählappell und trat vor die Front – besser: offenes Viereck – der etwa zweitausend angetretenen deutschen Kriegsgefangenen. Er sagte nur einen Satz: The war is over in Europe.

Dann drehte er sich um und verließ ohne jedwede weitere Erklärung das Camp.

Ich glaube, auch die, die kein Englisch verstanden, hatten begriffen, was der Captain gesagt hatte.

Dann stiegen wir auf die vor dem Lagertor wartenden Lastwagen, die uns wie all die Monate vorher auch in Gruppen von zehn bis dreißig Personen zur Arbeit fuhren, entweder auf umliegende Farmen oder zu anderweitigen Arbeiten.

Schauplatz: Ein POW-(Prisoner of War-)Camp in Monroe in Louisiana im Süden der USA. Ich war knapp neunzehn Jahre alt und seit einem halben Jahr Kriegsgefangener in diesem Lager.

Als der Captain den Satz: The war is over in Europe ausgesprochen, uns abrupt den Rücken gekehrt und das Lager verlassen hatte, standen die zweitausend Männer steif und stumm wie eine Mauer. Keine Reaktion, weder Bedauern noch Freude noch Trauer; keine Wut, kein erlösendes Aufatmen, die Nachricht wirkte lähmend, obwohl wir das seit Wochen doch erwartet hatten; denn alle waren über den Verlauf des Krieges in Europa und in Asien und später in Deutschland unterrichtet, zumindest die Englischsprechenden hörten täglich die Meldungen im amerikanischen Rundfunk und lasen Zeitungen, die wir ins Lager geliefert bekamen. Das Gelesene und Gehörte wurde sogleich weitererzählt an jene, die nicht Englisch verstanden.

Ich arbeitete zu der Zeit seit Wochen auf einer Farm in einem dreißigköpfigen Arbeitskommando etwa zwanzig Meilen außerhalb Monroes, und die tägliche Fahrt dorthin und wieder zurück verlief stets fröhlich und ausgelassen trotz der ungewohnten Hitze, des feuchtheißen Klimas und der Müdigkeit am Abend von der ungewohnten Arbeit, aber an diesem Morgen sprach keiner, auch kein Witz wurde erzählt, stumm fuhren wir zur Arbeit, und, was das Seltsamste war: Jeder vermied, dem anderen ins Gesicht zu sehen, so als schämte sich einer vor dem andern.

Endlich, als wir auf der Farm ankamen und vom Lastwagen sprangen, sagte ein etwa fünfzigjähriger Mann, zu dem ich nur losen Kontakt hatte vorher, weil er in einer anderen Baracke untergebracht war: Na, endlich ist es zu Ende. Jetzt lassen sie uns bestimmt bald nach Hause.

Von da ab wurde er von allen gemieden, als hätte er etwas Unanständiges gesagt und jedermann beleidigt.

Ich begriff das nicht. Warum waren die anderen wie er und wie ich auch nicht ebenso erleichtert über das Ende des Krieges. Auch ich teilte die Hoffnung des Mannes, von dem ich lediglich wußte, daß er aus Hannover stammte, verheiratet war und zwei heiratsfähige Töchter hatte.

Während der Arbeit suchte ich seine Nähe, was nicht schwer war, denn während der Arbeit hatten wir relativ viel Freiheit, ein einziger GI bewachte uns, aber der lag meistens unter einem schattenspendenden Baum und schlief oder döste mit dem Gewehr im Arm.

Wohin hätten wir auch fliehen können.

Am Nachmittag, nachdem wir beide zwei Stunden schweigend nebeneinander gearbeitet hatten, faßte ich Mut und fragte den Mann: Warum sind denn die anderen so komisch?

Er richtete sich auf und sah mir direkt in die Augen, er lächelte, er hätte mein Vater sein können: Mein Junge, die sind nicht komisch, die sind beleidigt, weil sie den Krieg verloren haben. Denn wer verliert, der ist kein Held mehr. Und sie waren doch alle Helden bis heute, das mußt du doch an ihren Reden herausgehört haben, sie waren Helden, die von den Oberen vergessen worden sind und denen man unbegreiflicherweise vergessen hatte, das Ritterkreuz umzuhängen. Du bist noch zu jung, aber du wirst es in den nächsten Tagen und Wochen erleben. Halte deine Ohren und Augen offen.

An diesem Abend besuchte ich ihn in seiner Baracke, und er begann, mir das Schachspiel beizubringen.

An den folgenden Tagen waren die diskutierenden Gruppen auf dem Gelände des Camps nicht zu übersehen. Plötzlich waren vordem Befreundete befeindet, vordem Befeindete gingen Arm in Arm durch das Lager. Ich gewann den Eindruck, die Hälfte der Insassen stünde der anderen Hälfte feindlich gegenüber: Auf der einen Seite die gedemütigten Helden, denen der Krieg unvergänglichen Ruhm versprach, auf der anderen Seite die endlich Erlösten, die der Krieg gedemütigt hatte.

Es war eine irre Situation.

Ich war wohl der Jüngste im Lager, mit mir hatte man Nachsicht, sowohl die eine wie auch die andere Seite, vielleicht hatte man mit mir auch Mitleid, und ich pendelte zwischen den Blökken hin und her. Aber jeden Abend kehrte ich zu meinem Schachlehrer zurück, nicht nur um des Schachspiels willen, denn er klärte mich nach und nach auf, was im Lager wirklich vor sich ging. Er sagte eines Abends, als wir uns am Schachbrett gegenübersaßen: Junge, mach dir nichts vor, hier im Lager sind Leute, die glauben immer noch, daß die Japaner jetzt für uns den Krieg gewinnen werden. Sie tun mir leid, weil sie so verblendet sind, und sie sind so verblendet, weil sie so erzogen worden sind. Aber vor denen habe ich Angst, wenn die wieder nach Deutschland zurückkehren; denn für die war dann der

Krieg nur ein Betriebsunfall. Ich habe wohl damals nicht viel von dem begriffen, aber ich habe es für später behalten.

Eine Woche später gab es eine nächtliche Schlägerei, daß sogar Wachposten mit Waffen – was streng verboten war – in das Camp stürmten, um die sich Schlagenden zu trennen: Eine Gruppe, wie ich anderntags erfuhr, von etwa vierzig Männern hatte das Horst-Wessel-Lied gesungen und war daraufhin von denen, denen der Krieg Unglück war, mit Steinen beworfen worden. Es folgte eine erbarmungslose Prügelei.

Nach diesem Vorfall verhängte der Lagerkommandant vier Wochen so etwas wie Ausnahmezustand: Um acht Uhr abends mußte jeder im Bett sein, Lebensmittel wurden gekürzt und Vergünstigungen gestrichen. Es gab keine Zeitungen mehr, und Radiohören wurde untersagt.

Zehn Männer wurden abgeführt und in ein anderes Lager verlegt. Als sie am Lagertor auf ihren Abtransport warteten, sangen sie erneut das Horst-Wessel-Lied, und etwa fünfhundert Lagerinsassen, die sich auf dem Sportplatz versammelt hatten, klatschten ihnen Beifall.

Viel später habe ich erst begriffen, was da vor sich gegangen war, als ich nach Deutschland zurückkehrte.

HILDEGARD HAMM-BRÜCHER
Erinnerungen und ein Tagebuch

Zunächst wollte ich nur die Tage des Kriegsendes aus meiner heutigen Sicht beschreiben, dann erinnerte ich mich, daß ich damals Tagebuch geführt und manches aufgeschrieben hatte, was mir – der knapp Vierundzwanzigjährigen – so durch Kopf und Herz ging. Wie durch ein Wunder konnte ich die vergilbten Oktavhefte und Aufzeichnungen auf Feldpostpapier unter Bergen anderer persönlicher Arbeiten wiederfinden.

Bei neuerlicher Durchsicht erschienen sie mir heute – nach vierzig Jahren –, gerade weil sie Zeugnisse meiner damaligen unmittelbaren Betroffenheit sind, als recht aufschlußreich und als eine authentische Momentaufnahme meiner damaligen Empfindungen. Ich füge diese – gekürzten und leicht redigierten – Aufzeichnungen deshalb an und hoffe, damit meine Rückerinnerung durch das unmittelbare Erleben zu vervollständigen.

I.

Die letzten Wochen und Tage des Krieges und der Hitler-Diktatur habe ich aus heutiger Sicht in einem Schwebezustand zwischen Angst und Erlösung erlebt. Ich war knapp vierundzwanzig Jahre alt und hatte gerade nach zweieinhalbjähriger experimenteller Arbeit mein mündliches Doktorexamen der Chemie hinter mich gebracht. Es war ein Studium, mit dem ich in der damaligen Situation auf unabsehbare Sicht keinen Lebensunterhalt würde verdienen können.

Über das Schicksal meiner drei Brüder war ich ebenso im ungewissen wie über Leben oder Tod naher Verwandter und Freunde. Ich wohnte seit 1943 – nachdem ich in München mehrfach ausgebombt war – in einem etwa zehn Quadratmeter kleinen Zimmerchen in Starnberg, um in der Nähe meines verehrten Doktorvaters, des weltbekannten Chemikers und Nobelpreisträgers Heinrich Wieland, sein zu können.

Wochenlang hatte ich mich mit meiner zuverlässigen und immer hilfsbereiten Hausfrau und mit Freunden auf das Kriegsende und ein völlig ungewisses Überleben danach vorbereitet.

Zur Vorbereitung gehörten meine Vorräte: fünf mittelgroße Säcke mit abgesparten luftgetrockneten Brotscheiben, selbstfabriziertes Saccharin, selbstgekochte Seife, selbstgepreßtes Rapsöl und andere köstbare Eß- und Tauschvorräte. An zehn (!) Stellen hatte ich (später teilweise nie wiedergefundenes) Geld versteckt und Schmuck und Papiere in alten Blechdosen vergraben.

In den Tagen vor der wahrscheinlichen Besetzung Starnbergs durch amerikanische Truppen wurde unser Städtchen »verteidigungsbereit« gemacht. So wurde zum Beispiel direkt vor meinem ebenerdigen Fenster eine »Panzersperre« aus ein paar Baumstämmen errichtet und den Hausbewohnern von einer Werwolfführerin aufgetragen, bei Einrücken des Feindes an dieser Panzersperre zu stehen und kochendes Wasser in die amerikanischen Panzer zu gießen. Durch solche und andere kindische Vorhaben – wie zum Beispiel das Anbringen von Sprengstoff an kleinen Holzbrücken, die über schmale Flüßchen führten – sollte nach dem Willen der letzten rabiaten Ortsnazis der Vormarsch der Amerikaner aufgehalten werden.

Doch gottlob – und dank einer realistischen Einschätzung der Lage durch die Starnberger – kam dann alles ganz anders. Als die amerikanischen Jeeps und Panzer wenige Tage vor Kriegsende durch meine Straße nach Starnberg hereinrollten, hingen plötzlich wie durch Zauberhand an sämtlichen Fenstern weiße Bettücher (gelegentlich auch vergilbte weißblaue Fahnen), und als sich auf dem Marktplatz ein kleines Kontingent amerikanischer Soldaten versammelte, flogen bereits die ersten Blumensträuße, und aus einer kleinen Konditorei wurde friedenstiftendes Eis herausgebracht.

Damit war für uns Starnberger der Krieg vorbei, und es folgte die Nachkriegszeit.

Sie begann in der Nacht und verlief weniger idyllisch als die Besetzung. Die ersten Wohnungen mußten geräumt werden, Krach und Lärm quartiersuchender Amerikaner mischten sich in ängstliches Rufen und Kindergeschrei. Als ich am nächsten Morgen meinen Doktorvater (einen der ganz wenigen aufrechten Gegner der Nazis unter den Professoren der Münchner Universität) besuchen wollte, wimmelte es in seinem ganzen Haus von feiernden »Amis«. Hatte man das alte Ehepaar hinausgeworfen? Ich fragte besorgt herum. »The old man« hockte mit seiner Frau im Kohlenkeller und begrüßte mich (zum erstenmal, seit ich ihn kannte) mit einem sarkastisch-fröhlichen »Heil Hitler«. Die Hausbesetzer hatten absolut den Falschen getroffen! (Schon wenige Tage später tauchte allerdings ein ehemaliger amerikanischer Schüler auf, und die Hausbesetzung fand für die Wielands ein für allemal ein rasches Ende.)

In den nächsten Tagen tauchten in Starnberg die ersten verelendeten ehemaligen KZ-Häftlinge auf, und wo immer sie auftauchten, tat sich unter den Deutschen qualvolles Entsetzen, Angst und im Gefolge oft leider auch klammheimliche Abneigung auf. Als ich von einem amerikanischen Offizier gefragt wurde, ob ich von KZs gewußt hätte, bejahte ich dies wahrheitsgemäß. Weshalb gaben es so wenige zu? Das Ausmaß der Greuel- und Schandtaten konnte ich allerdings überhaupt nicht ermessen. Damals wurde mir allerdings rasch klar, daß die Nachkriegszeit und jeder mögliche Neuanfang von dieser grauenhaften Schuld, Scham und Verantwortung verdüstert und belastet sein würde. Ich zweifelte (und zweifle bis heute), ob wir diese Last je würden tragen und abtragen können?

In der Nacht des Waffenstillstandes am achten Mai fing ein großes Feiern und Freuen an. Erleichterung breitete sich aus, selbst bei Leuten, die nicht gerade zu den Nazigegnern gezählt hatten. Sie beteuerten, man sei ja schon immer dagegen gewesen. Die echten Nazis waren nicht mehr zu sehen. Ich weiß noch genau, daß sich wildfremde Menschen mit Tränen in den Augen um den Hals fielen ...

Nie wieder in meinem Leben habe ich so intensiv gefühlt, was es heißt, weiterleben zu dürfen – frei leben zu dürfen –, ohne Ängste in unendlicher Dankbarkeit und in der unerschütterlichen Hoffnung auf eine bessere Zukunft. In diesen frühen Sommertagen dankte ich Gott wie jener junge Watt in den »Flegeljahren« von Jean Paul für meine Zukunft, die nun irgendwann einmal beginnen würde.

II.

1. Tagebuchaufzeichnungen
15. April 1945

Der Krieg ist im Land bis zur Elbe, über die ich noch vor vierzehn Tagen verweint und stumpf vor Schmerz fuhr, bis Leipzig, wo ich die Brüder weiß. Diese Reise war ein unvergeßliches Erlebnis für mich. – Nachts fuhr ich durch Deutschland

»in den letzten Zügen« – hinauf in den Norden, und immer vor mir, heller als alle anderen Sterne, der Abendstern . . . überall aber dieses Elend. Die nächsten Wochen werden auch für uns die Entscheidung bringen. – Wir gehen unter, weil es diese Führung will – ihr Untergang soll auch der unsere sein –, vielleicht will es auch Gott. – Als ich am Karfreitag in Schwerin zum erstenmal seit langem das Abendmahl wieder nahm – fühlte ich mich gestärkt – wie die Gralsritter, die aus dem Montsalwatsch zurückkehren. – Ich fühlte mich Gott wieder anbefohlen. Mit der ganzen Kraft meines armen Herzens bete ich für die verstreuten Brüder und Freunde – für alle Menschen, die mir auf dieser Reise begegneten und die ich nicht mehr vergessen kann.

22. April 1945

Die nächsten Tage müssen die Entscheidung bringen. Dreiviertel Deutschlands ist von Amerikanern, Russen, Engländern oder Franzosen besetzt. – Jede Stadt wird »bis zum letzten Mann« verteidigt – der Sturm auf Berlin hat begonnen. – Das Unglück wächst wie eine Lawine, die rollt und rollt – immer schneller. Ich bin arbeitsunfroh, unentschlossen und voll Unruhe. Ich röste Brot für die Hungersnot, packe meine Sachen, weil es dem Verteidigungskommissar von Starnberg eingefallen ist, vor meinem Fensterchen eine Panzersperre zu errichten.

Wie ich hoffe, daß nun alles besser wird!

Was uns die Zukunft bringen wird, ist ungewiß. Aber wir können sie empfangen, ohne noch fürchten zu müssen, daß uns jemand die Hände bindet oder den Atem raubt.

Der Krieg im Land haust wie ein Wirbelsturm . . .

17. Mai 1945

Das Gesetz, unter dem sich unser Leben entwickelte, gibt es nicht mehr. – Der Spuk der zwölf Jahre ist vorbei – wie eine Seifenblase – nein . . . wie ein unendlich häßliches, drückendes Gebilde! – Nur für dumme Deutsche konnte es etwas Schillerndes, Vielversprechendes sein . . . Das große schwere Schicksalsrad hat sich endlich gedreht. – Wieviel Kraft hat das gekostet. Manchmal schien es, als sei ein Haken über die Speichen geschlagen, so wenig schien es sich zu drehen.

Als die ersten amerikanischen Panzer an meinem Fensterchen vorbeirollten, war ich unendlich froh: Die Brüder werden wiederkommen . . .

Mein Leben in diesen heißen Maitagen ist voll wechselnder Empfindungen . . . Ich mache weite Spaziergänge, arbeite, verzehre mich vor Sehnsucht, erlebe glückliche Augenblicke. –

An meinem Geburtstag waren zum erstenmal seit Jahren keine Eisheiligen, nur strahlende Sonne und Wärme. Der Krieg in Europa ist aus – aber ich traue der Waffenruhe noch nicht. Wie gut, daß ich »Fräulein Doktor« bin!!

Zum erstenmal hat das Weltgeschehen Eingang in mein Tagebuch gefunden, was es bisher nur überschattete –

2. Aufzeichnung
Mai/Juni 1945

Auch heute, während ich das schreibe, sitze ich an meinem offenen Fenster, das zu ebener Erde liegt und nun nicht mehr mein kleines Zimmerchen von der Welt abschließt, sondern sie hereinläßt mit all ihrer Sommerwärme und das meine Gedanken hinausläßt aus dem kleinen Raum, in dem sie sich während des langen, kalten Winters immer mehr verfingen und verwirrten . . .

Nicht nur gegen die Kälte schloß mein Fensterchen unvollständig. Auch Angst drang durch die Ritzen, immer wiederkehrende Laute schlichen sich herein. Seitdem ist für mich Furcht immer mit diesem Geräusch verbunden, das genagelte Schaftstiefel auf dem Pflaster erzeugen . . . Wenn ich dieses Geräusch höre, werde ich immer Angst haben . . .

Warum . . .? Das Gesetz, unter dem wir viele Jahre standen, das uns in allem beschränkte, unter dem wir wechselnd mehr oder weniger stark leiden mußten, das uns nie zur Ruhe kommen ließ, dieses Gesetz wurde von den Trägern solcher knallenden Stiefel verkörpert, wie sie viermal am Tag während dieses Winters an meinem Fenster vorbeigingen, hinter dem ich saß und auf mein Abschlußexamen lernte. Ich kannte sie vom Sehen – die uniformierten Nazis, und jedesmal unterbrach ich meine Arbeit und wartete auf dieses Geräusch, um mir dann die Ohren zuzuhalten, bis die vier Männer vorbeigegangen waren, die von ihrer Parteidienststelle kamen oder zu ihr gingen. In der Hand solcher Männer wußte ich das Schicksal meiner gefangenen Brüder, meiner Freunde, die für *sie* draußen sein mußten. – Worüber sie sprachen, wenn sie vorbeigingen, weiß ich gar nicht. Aber in meiner Angst glaubte ich immer, die Worte zu hören, die uns alle vernichten sollten.

Und nun knallen sie nicht mehr! Die drei Dicken und der fanatische Hagere werden nie mehr vorbeigehen. Jetzt gehen auf unhörbaren Gummisohlen amerikanische Soldaten an meinem Fenster vorbei. Sie sind mit ihrem Chewing gum beschäftigt oder ihrer Pfeife. Manchmal bohren sie auch in der Nase. Immer scheinen sie fröhlich-gedankenlos. Ihre Stimmen klingen eigentümlich gequetscht und knabenhaft hell. Auch sie wecken in mir Empfindungen: Ungeheure Entspannung und Erleichterung – ein Gefühl der Leere nach dieser dauernden Angst. Aufkommende Freude?

Nun warte ich, daß meine Brüder zurückkommen und vielleicht auch meine Freunde. Und alles, was ich tue, ist, mir die Zeit des Wartens abzukürzen. Vielleicht schrieb ich darum auch heute dies. Vielleicht hoffte ich ganz im stillen, daß, wenn ich einmal aufblickte, sie dann draußen stehen würden . . . Ich glaube, daß nur die Freude die Leere nach der furchtbaren Angst ausfüllen kann. Doch weiß ich heute noch nicht, wann sie sich einstellen wird.

LUDWIG FREIHERR VON HAMMERSTEIN
Notizen

Nach dem mißlungenen Staatsstreich am 20. Juli 1944 tauchte ich in Berlin unter und erlebte das Kriegsende in der Oranienstraße 36 zu Kreuzberg. Dort befand sich die Drogerie Kerp. Tochter Hertha hatte mich unterstützt und mir Zuflucht gewährt. Damals notierte ich:

Am 21. April fielen die ersten russischen Granaten auf die innere Stadt. Strom gab es nicht mehr. Infolgedessen keine Radionachrichten aus London, Beromünster und Moskau. Dafür um so mehr Gerüchte aller Art. Am 23. April wurden die Lagerhäuser am Osthafen zur »Plünderung« freigegeben. Die Leute schleppten Butterfässer und halbe Ochsen nach Hause. Jeder versuchte, einen Anteil zu erobern. Es kam zu wüsten Szenen. Else Kerp erwarb sich große Verdienste, indem sie Butter und Schmalz besorgte. Eine weitere Plünderung mit mir scheiterte. Die Warschauer Brücke war schon gesperrt und wurde zur Sprengung vorbereitet. Nur Soldaten kamen zurück und völlig erschöpfte Jungens der »Kinderflak«. In den Straßen lagen einzelne Tote mit einem Pappschild »Noch haben wir die Macht«. Terror bis zur letzten Minute.

Am 25. April versuchte ich, Freunde in Zehlendorf anzurufen. Es meldete sich aber schon eine russische Stimme. Am 26. April kochte Mutter Kerp ein prächtiges Mittagessen. Dazu eine Flasche Rotwein. Alle waren mal wieder voller Hoffnung nach den Bomben und Granaten. Gegen fünfzehn Uhr erschienen dann in der Oranienstraße die ersten russischen Infanteristen. In den Toreingängen standen die Einwohner und freuten sich, daß die Schweinerei endlich ein Ende hatte. Ich habe niemanden Widerstand leisten sehen. Die letzten eigenen Soldaten waren schon am Vormittag über unseren Hof geschlichen.

Die Russen hielten uns ihre Waffen vor die Nasen und kassierten Uhren und Schmuck. Der Brauch hatte sich bereits herumgesprochen. Die Leute hatten die besseren Sachen gut versteckt. Dann verteilten sie Tabak und Zigarren aus dem Laden von der Ecke, durchsuchten die Häuser nach versteckten deutschen Soldaten und benahmen sich sehr korrekt. Einer dieser Soldaten fiel in der dunklen Drogerie die Ladentreppe hinunter, tat sich glücklicherweise nichts, geriet aber in Wut und wollte mich, der ich ihn begleiten mußte, erschießen. Ich machte »Hände hoch« und lächelte ihn an – was blieb mir anderes übrig –, er beruhigte sich und gab mir nur einen Kinnhaken, den ich durch Ausweichen abmildern konnte. Auf die ständige Frage, ob ich Soldat sei, antwortete ich, nix Soldat, nix Faschist. Vorher hatte ich gerade noch rechtzeitig meine Pistole, die mich vor der Gestapo schützen sollte, in einer Mülltonne versenkt.

Solange es Tag war, benahmen sich die Russen einigermaßen. Bei Nacht war es damit vorbei. Einzelne Trupps drangen in die Keller und Wohnungen ein. Sie holten sich mit vorgehaltener Pistole Frauen und Mädchen heraus. Nur alte und resolute Frauen – wie Mutter Kerp – bildeten einen gewissen Schutz. Vor ihnen hatten die Soldaten meist Respekt. Auch trauten sie sich bei Nacht nicht in die oberen Stockwerke. Ein Teil der Offiziere versuchte sogar, die Ausschreitungen zu verhindern. Aber sie konnten nicht überall sein.

Am 28. April machte ich mich auf den Weg nach Stahnsdorf, um meine Schwester zu finden, kam aber nur bis Mariendorf. Dort mußte ich zwangsweise mit anderen Zivilisten eine Straße ausbessern. Dabei wurde mir mein kostbarer Rucksack mit Verpflegung geklaut. Nach zwei Stunden Arbeit durften wir weiterziehen. Als ich dann wie andere auch bei einem russischen Verpflegungswagen um Brot bettelte, verhaftete mich ein Offizier und setzte mich hinter ein Haus zum Abtransport. Mein Brot hatte ich noch bekommen. Ich kaute und überlegte, wie ich herauskommen könnte. Ein vorbeikommender alter russischer Unteroffizier sah mich so, gab mir einen Wink, verschwinde. Ich auf und davon! Weiter in Richtung Stahnsdorf. Aber bald ließ mich ein Posten nicht durch. Ich mußte zurück. Dann wurde ich wieder mit anderen Zivilisten angehalten und bis auf die Unterwäsche durchsucht. Man fand nichts Militärisches und ließ mich laufen.

Später verbot mir ein russischer Verkehrsposten, die Brücke über den Teltowkanal zu passieren. Dort stand auch ein Oberleutnant mit einem etwas Deutsch sprechenden Begleiter. Ich redete mit den beiden, und plötzlich, als der Posten anderswo beschäftigt war, gab mir der Oberleutnant einen Stoß in Richtung Brücke. Ich trabte schleunigst hinüber.

So kam ich heil, wenn auch ohne Rucksack, wieder in der Drogerie Kerp an. Dort hatte sich inzwischen ein Oberst einquartiert, und wir pennten alle im Laden wie die Heringe. Am 30. April wurde ich als mutmaßlicher Soldat in der Drogerie verhaftet und unter Bewachung auf den Hof gestellt. Else Kerp redete jedoch so lange auf den Obersten ein, bis er mich zum Ortskommandanten schickte, um meine Personalien zu überprüfen. Dort mußte ich nun Farbe bekennen, wer ich wirklich war einschließlich des »Oberleutnants«. Es ging gut. Der Kommandant hatte wohl etwas vom 20. Juli 1944 gehört und schrieb einen russischen Vermerk in meinen Führerschein. Es war der einzige echte Ausweis, den ich besaß.

Den Vermerk konnte ich nicht lesen, er wurde aber überall respektiert. Am vierten Mai gelangte ich dann unbehelligt nach Zehlendorf. Unser Haus in der Breisacher Straße war noch von einem Stab belegt. Ich fand bei Freunden in der Nachbarschaft Unterkunft.

Am siebten Mai traf ich in Stahnsdorf meine Schwester und Schwager Walter Rossow lebend an. Am achten Mai konnte ich unser Haus wieder betreten, aber von der Kapitulation des Deutschen Reiches sprach niemand. Radionachrichten und Zeitungen gab es nicht. Wir wußten nur: Der Krieg in Berlin ist vorbei. Die Russen schossen am Abend öfter kräftig gen Himmel. Sie wußten mehr. Mich interessierte erst einmal, wer überlebt hatte. In Berlin waren es alle, die mir geholfen hatten, der Gestapo zu entkommen, und dabei »Kopf und Kragen« riskierten. Von meiner Mutter, meiner jüngsten Schwester und meinem Bruder, die die Gestapo verhaftet hatte, sowie von meinem in Köln untergetauchten älteren Bruder erhielten wir erst im Juli die gute Nachricht.

A. M. Hautval
Das Ende des Schreckens

Könnte ich je das wiedergeben, was wir damals erlebt haben? Diese explosive Überfülle, dieses unglaubliche Gefühl, wieder ganz ich selbst sein zu können: ohne Grauen, ohne unlösbare, tägliche Lebensprobleme, ohne quälende Gewissensfragen. Keine Vergasungen, keine rauchenden Krematoriumskamine mehr! Gibt es Worte dafür?

Frauenkonzentrationslager Ravensbrück am Morgen des 30. April 1945. Die SS war in der Nacht verschwunden. Das große Tor stand offen. Unwiderstehlich drängte es uns hinaus, um zu sehen, wie es in der freien Welt aussieht, um den Kontakt mit dem weichen Waldboden wiederzufinden. Aber nur für kurze Zeit. Viele Schwerkranke lagen im Lager.

Jäh kippen wir in eine andere Welt. Mein erster Gang führt mich zur Lagerapotheke. Keine Schwester Erika mehr, die schroff Medikamente verweigert. An ihrer Stelle eine Häftlingsapothekerin, die den Posten übernommen hat. Voll Eifer sucht sie das Verlangte in verschiedenen Schubladen und sagt, daß sie sich die fehlenden Medikamente werde beschaffen können. Ist das vorstellbar? Übrigens war es an diesem Morgen allgemein so. Im Nu wurden alle nötigen Verwaltungen in Gang gesetzt. Am Mittag hatten wir bereits alle ein schmackhaftes Essen.

Die vorhergehenden Tage waren schlimm gewesen, sehr schlimm. Das schwedische Rote Kreuz hatte Krankentransporte organisiert. Sollten wir weiterhin doppelte Fieberkurven führen? Die offiziellen – für die Kranken so ungefährlich wie möglich – oder die tatsächlichen, aber mit versteckten Angaben? Oft hatten die Nazi-Schergen mit teuflischer Absicht die Krankenlisten vertauscht. Hatten Selektionen für die Gaskammer mit den Rote-Kreuz-Transporten verwechselt. Sollten wir weiterhin mißtrauen? Wir taten es nicht.

Symbol unserer wiedergefundenen Freiheit: Wecker, die wir

den SS-Wohnungen entnommen hatten. Vom biederen, ordinären Wecker bis zur eleganten Damenuhr. Sie stärkten unser neues, noch brüchiges Freiheitsgefühl. Wir waren wieder Besitzer unserer Zeit. In der schlaflosen Nacht – vor mir aufgestellt – handhabe ich die Zeiger, gehorsam gehen sie vor- und rückwärts. Unsere eigenen Uhren waren uns gleich nach Eintritt in das Lager weggenommen worden.

Dann kam der achte Mai und brachte die Nachricht der deutschen Kapitulation. Wir rannten zu den Kranken, sagten es ihnen. Für uns war es nur eine offizielle Bestätigung dessen, was wir schon wußten: das Ende des Schreckens. Die Wirkung dieser Nachricht blieb im Hintergrund angesichts der Gegenwart: sehr viel Arbeit und Glück in Fülle. Wir alle waren überzeugt gewesen, daß die Naziherrschaft bald ein Ende nehmen würde. Doch wußten wir nicht, ob wir es erleben würden. Die allgemeinen Weltprobleme drängten sich uns erst später auf und damit der ganze Umfang sich uns aufzwingender Fragen, vor allem nach der Verantwortlichkeit, der Verantwortung.

Nach zwei Monaten kam die Stunde der Rückkehr. Heimat. Die Kranken und wir selbst wurden auf einen offenen Lastwagen geladen für eine erste Etappe der Reise. Kaum aus dem Tor hinaus, begegneten wir Einheimischen. Sie verlangten, auf den Wagen aufsteigen zu können. Wir erklärten, daß dies nicht möglich wäre, wir seien ehemalige, jetzt heimkehrende Häftlinge. Großes Erstaunen: »Was! Weibliche Häftlinge in Deutschland?!«

Ich denke an eine Messe in Lübeck. Von der Kanzel herab rief der Bischof »Wir sind unschuldig!« und erhob sich heftig gegen die »ungerechtfertigte« alliierte Besetzung. Meine Empörung war groß. Eine in der Geschichte noch nie dagewesene staatliche Organisation hatte die raffinierte Ermordung von Millionen von Menschen betrieben, und ein Bischof, der das Gewissen einer Nation sein sollte, fühlte sich nicht betroffen!

Doppeltes Pilatus-Händewaschen! Es trug viel dazu bei, daß es mir damals nicht möglich war, das deutsche Volk vom Naziregime zu trennen. Für mich würden die Deutschen nur dann wieder einen Rang in der zivilisierten Welt einnehmen können, wenn sie – anstatt Übermenschen zu sein – einfach Menschen sind, was schwer genug ist. Der kurzsichtige Mythos der Überlegenheit einer reinen Rasse! Jeder, der wirklich die Unterschiede der anderen akzeptiert – Rasse, Sitten, Meinungen –, weiß, welche Lehren und Bereicherungen sie bringen. Wer sie verweigert, schließt sich in ein Getto ein, das früh oder spät zum Verdorren führt.

Rückkehr nach Frankreich. Ich hatte gedacht – vielleicht auch nur gehofft –, daß nach einer solchen aufrüttelnden, schrecklichen Erfahrung sich in der Außenwelt eine tiefgreifende Bewußtseinsänderung ergeben würde. Dies war nicht der Fall. Niemals hätte das Naziregime ein solch monströses Ausmaß erlangen können, wenn es nicht mit einem Gegner zu tun gehabt hätte, der zu allen Konzessionen, zu allen Feigheiten bereit war um eines trügerischen Friedens willen. Die Macht nationalsozialistischer Ideologie bestand auch aus der Schwäche der anderen. Das wußte Hitler und rechnete damit.

Aber es war noch schlimmer. Keine sogenannte zivilisierte Nation hatte reine Hände. Mehr oder weniger existierte sowohl eine passive Komplizenschaft als – leider, leider – auch ein aktives Handeln im Sinne der Nazis. Dies entschuldigt auf keinen Fall die Verbrechen des Naziregimes. Sie stellten die größte Entartung dar, die je den menschlichen Geist ergriffen hat. Niemand ist unschuldig. Dies gab mir eine andere Vision der Dinge. Mich überkam Schamgefühl. Die Angeklagten wurden diejenigen, welche in der Lage gewesen wären, die Ausrottung von Millionen Menschen zu verhüten, wenn sie Verantwortungswillen gehabt hätten. Ich muß gestehen, daß es noch Jahre dauerte, bevor die Begegnung mit Deutschen in mir kein Zurückweichen mehr auslöste.

Lange – mit einigen Ausnahmen – war die deutsche Widerstandsbewegung wenig bekannt. Aber im Lauf der Jahre lernte ich durch persönliche Kontakte deren Umfang mit Überraschung und großer Genugtuung kennen. Auch las ich die Bücher deutscher Schriftsteller, die sich gegen die Nazimethoden aufgelehnt hatten. In der damaligen unerbittlichen Repressionszeit bedeutete das viel.

Man wird nie verhindern können, daß eine Handvoll Fanatiker – auf die endemische Neigung ihrer Mitmenschen zur Xenophobie bauend – hinterhältig geschickte Propaganda organisiert. Meistens für eine qualmige, auf falschen Grundlagen beruhende Ideologie. Dies gilt für diesseits und jenseits des Rheins. Die menschliche Natur ist sehr beeinflußbar. Sie läßt sich leicht betören. Niemand kann sich davor beschützt glauben. Der aber, der wirklich wissen will, zu was eine solche Ideologie führen kann, hat die Möglichkeit dazu. Außer den Augenzeugen existieren unwiderrufliche, objektive Beweise, die keine Zweifel erlauben.

Und jetzt? Sehr freue ich mich über die deutsch-französische Versöhnung. Von Herzen wünsche ich eine immer mehr erweiterte menschliche Zusammenarbeit. Dafür ist freilich notwendig, daß jede Partei etwas von ihren Eigenheiten abschleift: wir Franzosen unseren ausgeprägten Individualismus sowie eine gewisse Sorglosigkeit, doch auch unseren Sinn für Bequemlichkeit und Komfort; die Deutschen ihre zu stark betonte Disziplinunterwerfung und den Hang nach Herrschaft. (Das Lied »Deutschland, Deutschland, über alles . . .« wurde schon zur Zeit des Kaisers Wilhelm II. mit großer Inbrunst gesungen.)

Die Begegnung Kohl – Mitterrand in Verdun hat mich sehr gerührt. Vielleicht ist dies ein Schritt, über gemeinsame politisch-ökonomische Interessen hinaus zu wichtigeren menschlichen Beziehungen zu kommen. Vielleicht!

Soll die Menschheit endlich zur Maturität gelangen, kann sie es nur durch ein immer stärkeres, herzlicheres Solidaritätsgefühl mit Rückdrängung des Egoismus.

Wann wird es uns gegeben sein, ein vereinigtes Europa zu erleben, in dem das allgemeine Wohl überwiegt?

Elisabeth Heisenberg
Der Hitler ist tot, der Hitler ist tot . . .

Was mir der Tag der bedingungslosen Kapitulation bedeutet habe, wurde gefragt. Ja, das wäre schnell beantwortet! Ich sehe mich noch im Wohnzimmer an dem großen, schweren Tisch sitzen, das Radio lief pausenlos – da endlich kam die Nachricht! Ein überwältigendes Gefühl der Erleichterung, der Befreiung von einer zentnerschweren Last überkam mich. Nun hatte das schreckliche Morden ein Ende! Neues konnte beginnen, das wir zwar noch nicht kannten, das aber als Hoffnung in uns lebte.

Dennoch – auch dies war nur ein Ereignis aus den vielen dramatischen Erlebnissen der letzten Zeit, so daß in meiner Vorstellung eigentlich das Ende des Krieges schon früher begann, ebenso die neue Ära, die Übernahme der Macht durch die Alliierten. Dieses erste Datum des Kriegsendes war für uns der 27. April, als mein Mann nach Hause kam, und der Beginn der neuen Ära war der fünfte April, als er in die Gefangenschaft abgeführt wurde. Aus dieser Zeitspanne etwas zu erzählen wäre wohl besser geeignet, ein Bild unserer inneren und äußeren Lage zu geben und der sehr einfachen Gefühle, die uns beherrschten.

Ich lebte damals in Urfeld am Walchensee in einem kleinen Holzhaus, hoch am Berg gelegen. Es waren dreizehn, zeitweilig auch fünfzehn »Seelen«, für die ich zu sorgen hatte: meine sechs Kinder zwischen einem und acht Jahren, dazu ein zwölfjähriges Mädchen, das mir von fremden Leuten gebracht worden war, von einer verhärmten Frau, die sagte, sie müßten fliehen und wollten das Kind nicht in den Untergang hineinziehen. Dann war da meine Schwiegermutter, die wir Weihnachten aus Mittenwald geholt hatten, wohin sie zwangsweise aus München evakuiert worden war, und die sich nun in der fremden Stadt völlig verlassen fühlte. Dann gehörte zu uns noch meine Freundin Maria, die in Dresden alles verloren hatte und deren Leben von den Nazis zerstört war. Sie hatte ihren fünfjährigen Buben mitgebracht, der nach Marias Tod in diesem Sommer noch lange bei uns blieb. Dann gab es noch die Russin Anna, ein prächtiges Mädchen. Man hatte sie aus der Ukraine nach Deutschland verschleppt, und das Arbeitsamt hatte sie uns zugewiesen.

Dazu fand sich noch allerlei »Strandgut« ein, Menschen, die der Krieg anschwemmte, die dann eine Weile blieben und dann auch wieder gingen. Alle diese Menschen mußten ernährt werden, was allein mir oblag und was äußerst schwierig war; denn wir als »zugereiste Nordländer« hatten nur wenig Rückhalt in der Bevölkerung, die sehr parteigläubig war und wo bereits jeder seine alteingesessenen Ansprüche hatte. Auch die Selbstversorgung war fast unmöglich, denn das Klima dort oben war rauh und unwirtlich, der Boden steinig und schwer zu bearbeiten, und das Wild fraß alles ab, was zu unserer Freude gewachsen war. Zum Bau eines wirksamen Wildzauns aber hätte es Männerkräfte gebraucht – aber die hatten wir nicht. In Urfeld selbst gab es überdies keinen Laden, alles mußte aus dem drei Kilometer entfernten Walchensee oder aus Kochel herangebracht werden. Kochel war neun Kilometer entfernt und nur mit dem Fahrrad über die steile Kesselbergstraße erreichbar. Das also war unsere Situation.

Am 27. April vormittags sah ich einen Mann die Wiese heraufkommen, verschmutzt, erschöpft und mühsam sein Fahrrad den steilen Berg heraufschiebend. Plötzlich erkannte ich meinen Mann. Ich hatte ihn nicht erwartet. Voller Freude lief ich ihm entgegen, dankbar, daß er gekommen war.

Nun war er da und konnte helfen, vor allem konnte er mit Verantwortung übernehmen – das war eine große Erleichterung. In der Nacht nämlich waren alle Familien mit Kindern auf die andere Seite des Sees geflohen, denn es hieß, der Kesselberg und Urfeld sollten verteidigt werden. Dazu hatte man am See mehrere Geschütze aufgebaut, die mit ihren Mündungen in unsere Richtung zeigten. Trotz allem hatte ich mich entschlossen, nicht fortzugehen. Wohin denn auch? Es war eisiges Aprilwetter mit Schneeregen. Nein, ich konnte keinen Sinn in einer solchen Aktion sehen. Es galt also nun, den naßkalten Keller als Schutz und Zuflucht einzurichten für den Fall, daß wirklich geschossen werden sollte. Mit alten Matratzen wurden die Fenster verstopft, Schlafmöglichkeiten eingerichtet, eiserne Rationen für die Ernährung im Keller versteckt und vieles mehr.

Als nächstes mußte jemand nach Kochel fahren. Dort, so hieß es, würden die Geschäfte ihre Lager räumen – und dann gäbe es lange Zeit wohl nichts mehr. Dies übernahm mein Mann, nachdem er sich von seiner Erschöpfung erholt hatte. Nach einigen Stunden aber rief er an, ob ich ihn wohl ablösen könnte. Ich fuhr also los. Dicke Trauben von Menschen standen vor den Geschäften und hofften, etwas Butter oder Käse zu ergattern. Es ging bis ans Bahngelände, wo ich mich auch anstellte. Da plötzlich sah ich diesen Zug stehen, voll mit KZ-Häftlingen, bleichen, elenden Gestalten, die mit erloschenen Blicken auf uns starrten. Schwerbewaffnete SS mit Hunden an kurzer Leine bewachte die Waggons. Was würde mit ihnen geschehen? Würden sie freigelassen? Oder sollten sie doch noch umgebracht werden? Die Amerikaner standen bereits in Benediktbeuern, wenige Kilometer entfernt! Ab und zu hörte man Geschützfeuer von der Front. Jetzt war mir klar, warum mein Mann mich gebeten hatte zu kommen. Er konnte diese Situation nicht länger ertragen.

Ein oder zwei Tage später wurden wir von heftigen Detonationen nahe bei uns aufgeschreckt. Mein Mann, der sich ein Bild der Lage machen wollte, lief hinunter in den Ort, der wie ausgestorben wirkte, unheimlich, wie in Erwartung schlimmer Dinge. Die wenigen Personen, die er traf, sagten, man sprenge den großen Felsen oberhalb der Straße, um die Amerikaner aufzuhalten, die bereits auf dem Wege nach Walchensee seien. Es sei vom Ortsgruppenführer angeordnet. Mein Mann war außer sich. Ortsgruppenleiter? Es hatte bisher keinen gegeben in Urfeld! Schließlich fand er besagten »Ortsgruppenleiter«, einen schmierigen, primitiven Mann, der bisher Zeitungsausträger gewesen war und sich in diesen Wirren des Endes mit irgendwelchen Vollmachten ausgestattet hatte. Mein Mann versuchte, ihm klarzumachen, daß eine solch sinnlose Maßnahme doch nur Unglück bringen könne. Etwas später hörten die Detonationen auf. Aber die Straße war bereits zugeschüttet.

Unser Ältester, ein achtjähriger sehr sensibler Bub, fing an, über Bauchschmerzen zu klagen. Er lag im Bett und weinte. Ich tastete seinen Bauch ab; er schien mir gespannt und auf Druck empfindlich; auch hatte er leichtes Fieber. Natürlich tippten wir auf Blinddarm. Aber was sollten wir tun? In dieser angespannten Lage wuchsen wohl auch unsere Sorgen etwas überdimensional – immerhin hatte ich selbst schlechte Erfahrungen gemacht mit einer plötzlichen Blinddarmentzündung. Aber wo fanden wir ärztliche Hilfe? Wir hörten schließlich, daß in Walchensee ein notdürftiges Lazarett stationiert worden war. Wir sollten uns dahin wenden. Die Verbindung herzustellen ging erstaunlich leicht. Man sagte uns, wir sollten sofort kommen. Sie wären bereits wieder im Aufbruch. Sie könnten uns ein Auto bis zur Sprengstelle schicken, bis dahin müßten wir ihn bringen. Aber laufen dürfe der Bub nicht.

Es war nasser Schnee gefallen, und so verpackte ich den Jungen auf einen Schlitten und fuhr mit ihm los. Bis zur Sprengstelle waren es etwa zwei Kilometer. Alles verlief wie geplant. Wir kamen in eine makabre Atmosphäre. Der Untersuchungsraum war nur von einem schwachen Notlicht erleuchtet. Nervös liefen die wenigen Personen, die noch da waren, durcheinander. Doch der Arzt war tadellos. Besonnen und genau untersuchte er den Jungen. Nein, sagte er, es seien nur die Nerven. Aber gut, daß wir gekommen seien – man könne nie wissen. »Gehen Sie jetzt nach Hause. Wollen Sie nicht etwas mitnehmen? Wir lassen alles hier. Aber jetzt müssen wir fort.« Ich nahm etwas Verbandzeug mit. Damit waren wir knapp.

Dann nahm ich meinen Buben, und wir machten uns auf den Heimweg. Die Straße war menschenleer und stockdunkel. Es war eine bedeckte Nacht. Wir kletterten über die Steintrümmer der Sprengstelle, und plötzlich sahen wir in der Dunkelheit eine Gestalt regungslos an der Bergseite auftauchen. Erschrocken blieben wir stehen. Wir sahen undeutlich einen Mann in Uniform mit einem Gewehr in der Hand. Nach dem ersten Schrecken besann ich mich; es mußte ein Amerikaner sein. Am Tag zuvor war ein Bomber über dem Wald abgestürzt, und am Himmel schwebten mehrere Fallschirme. Einen hatte es wohl auf die Walchenseestraße geweht. Wir schlichen uns vorsichtig an ihm vorbei. Das Herz klopfte uns bis in den Hals hinein. Aber ihm war entschieden nicht daran gelegen, uns etwas anzutun, und so liefen wir so schnell wie möglich weiter. Er verschwand in der Dunkelheit. Wir fanden auch unseren Schlitten, und von da an kamen wir schneller voran. In Urfeld rief ich hinauf, froh, nach Hause zu kommen; in der Stille mußte man oben doch meine Stimme hören! Da plötzlich hörte ich Marias Stimme von oben rufen: »Der Hitler ist tot! Der Hitler ist tot!« Was für eine Nachricht! Da kam auch schon mein Mann den Berg hinuntergelaufen, und wir lagen uns in den Armen: Das war das Ende, gottlob! –

Oben angelangt, steckte ich schnell den Buben ins Bett und holte dann unsere einzige Flasche Wein aus dem Keller, die wir eigentlich für Christines Taufe hatten aufheben wollen. Wir saßen um den schweren Tisch im Wohnzimmer, eine unsägliche Erleichterung kam über uns – nun konnte es nicht mehr lange dauern! Bei langen Gesprächen neigte sich die Nacht ihrem Ende zu. Wir legten uns noch mal hin und versuchten, zwei oder drei Stunden zu schlafen. Aber es wurde nicht viel daraus, wir waren zu erregt.

Am folgenden Morgen klopfte es an die Tür. Es war der sogenannte Ortsgruppenleiter, der die Sprengung veranlaßt hatte. Alle Männer müßten unverzüglich antreten, sagte er in höchster Aufregung, die Amerikaner hätten angeboten, sie würden niemandem etwas tun, wenn die Straße wieder freigeräumt würde. Mein Mann kochte vor Zorn. »Nun können Sie allein sehen, wie Sie damit fertig werden – ich komme nicht!« So etwa hat er geantwortet.

Die große amerikanische Truppe kam noch nicht. Statt dessen geschah folgendes: Ich saß auf der Ofenbank, um mich aufzuwärmen. Es war ganz still – Mittagsruhe. Plötzlich erschienen vor den Wohnzimmerfenstern schwerbewaffnete Soldaten, die Maschinenpistolen im Anschlag. Ein Todesschrecken überlief mich. Alle die Schreckensbilder der letzten Zeit stiegen in mir auf, die angezündeten Bauernhöfe in der Jachenau, die zu früh die weiße Fahne gehißt hatten, die im Walde aufgehängten Soldaten der Genesungskompanie, die zwar rechtmäßig entlassen waren, aber dennoch für die SS-Schergen als fahnenflüchtig galten.

Als ich mich wieder gefaßt hatte, merkte ich, daß es Amerikaner waren. Es fiel mir eine Zentnerlast vom Herzen, die Amerikaner würden uns nicht umbringen – was auch immer dies bedeutete. Ich ging an die Tür und öffnete. »Wo ist Professor Heisenberg?« fragte der Offizier, der offensichtlich die Truppe befehligte, in gebrochenem Deutsch. Ich sagte, er sei unten am See bei seiner Mutter. Er sah sich im Zimmer um und deutete auf das Telefon: »Rufen Sie sofort Ihren Mann an, er soll heraufkommen – aber sagen Sie kein Wort davon, daß wir hier sind!« Ich rief an. Er war gleich am Apparat, hatte schon die amerikanischen Fahrzeuge gesehen. »Sind die Amerikaner da?« fragte er. Ich sagte: »Ja, du sollst sofort heraufkommen!« »Es ist gut, ich komme«, antwortete er. Ein paar Minuten später stand er im Zimmer. Man stellte sich vor: »Oberst Pash von der Alsos-Kommission.« »Ich habe Sie schon erwartet«, antwortete mein Mann.

Inzwischen hatten sich die Soldaten um das Haus postiert. Die Kinder versuchten neugierig, mit ihnen anzubändeln, vorerst aber vergebens – es war ja noch Krieg! Drinnen begannen die Verhöre – stundenlang, selbst Anna wurde verhört. Oberst Pash sprach mit ihr Russisch und fragte sie lange aus. Er war mit dem Gespräch sehr zufrieden, und seitdem wurden wir alle um vieles freundlicher behandelt.

Inzwischen war es Nacht geworden. Pash verließ uns, aber ein Wachtkommando blieb. Die ganze Nacht hörte ich ihre Schritte um das Haus herum – zum erstenmal fühlte man sich in der Hand des Eroberers, ob wir ihn nun ersehnt oder gefürchtet hatten. Pash erwartete Panzerspähwagen, denn unser Gebiet war noch von SS durchsetzt. Am Nachmittag hatte es sogar eine Schießerei zwischen ihr und den Soldaten gegeben, die bei den Fahrzeugen Wache hatten; Pash regte sich sehr auf, denn er hatte keine Ahnung, wieviel SS-Leute das waren, und sie selbst waren nur ein kleines Häufchen. Aber bevor die Panzerspähwagen kommen konnten, mußte noch eine Notbrücke über die große Schlucht an der Kesselbergstraße gelegt werden, weil die Brücke von den Deutschen im letzten Moment noch gesprengt worden war. Das ging nicht so schnell.

Am Morgen wurde von mir verlangt, ich solle den Soldaten ein gutes amerikanisches Frühstück vorsetzen. Ich mußte unsere Hühnernester plündern, und Kaffee, Brot, Zuckerreserven und meine letzten Milchbüchsen mußten herhalten. Ich rebellierte, aber es half mir nichts. Dafür aber fuhr Oberst Pash am letzten Tag noch mit meinem Mann nach Benediktbeuern, um für die vielen Menschen bei uns Brot einzukaufen, fünf große Brote! Amerikanische Fairneß – eine noble Geste.

Am fünften Mai kamen die Panzerspähwagen an, und Pash erklärte mir, er müsse meinen Mann nach Heidelberg mitnehmen, wo die Alsos-Kommission stationiert sei. Ich solle mir aber keine Sorgen machen, in drei Wochen sei er wieder bei uns.

So waren wir nun wieder allein an diesem achten Mai. Ich bekam aus Heidelberg noch zwei glückliche Briefe: Obgleich die Städte so schrecklich zerstört seien, wäre das Land in die vollste Blütenpracht des Frühlings getaucht, und er sei voller Optimismus. Zu dieser Zeit wußte er noch nicht, daß er neun Monate gefangengehalten würde. Ich bekam in dieser ganzen Zeit nur zweimal eine sehr spärliche Nachricht und wußte nicht, wo er war und wann ich ihn wiedersehen würde. In mancher Hinsicht kam jetzt wohl die schwerste Zeit für uns mit Hunger, Unsicherheit, Krankheit, Tod und immer wieder Hunger, gegen den zu kämpfen fast meine Kräfte überstieg. Und doch war es mit dem achten Mai grundlegend anders geworden. Obwohl wir keine Ahnung hatten, wie die Zukunft für uns aussehen würde, so gingen wir doch mit jedem Tag einer besseren Zeit entgegen, – wenn sie auch noch eine Weile auf sich warten ließ. Aber wir konnten an sie glauben und auf sie hoffen.

HELMUT HEISSENBÜTTEL
Ende und Erwartung

Von dem, was ich am Tag der bedingungslosen Kapitulation der deutschen Wehrmacht am achten Mai 1945 getan oder gedacht habe, erinnere ich nichts mehr. Ich befand mich an diesem Tag in Papenburg an der Ems, wo mein Vater Gerichtsvollzieher war, bei meinen Eltern, genauer, wie ich meinem Taschenkalender von 1945 entnehme, der sich erhalten hat, bei meiner Mutter, denn mein Vater hatte sich verpflichtet gefühlt, mit dem Volkssturm nach Norden auszuweichen. Da unser Radioapparat, soviel ich erinnere, beschlagnahmt war, ist es möglich, daß ich von der Kapitulation erst Tage nach dem achten Mai erfahren habe. Dem Taschenkalender entnehme ich, daß ich am 21. März um 17.30 Uhr aus Leipzig, wo ich bis dahin als Kriegsversehrter studiert hatte, abgefahren war. Ankunft am 23. März gegen zwölf Uhr in Papenburg.

Der Krieg war für uns zu Ende mit dem Einmarsch einer unter englischem Befehl stehenden polnischen Einheit in Papenburg. Das war, wie ich im Taschenkalender lese, am Sonnabend, dem 21. April. Wir hatten schon vom 18. an im Keller unseres Nachbarn, eines Weinhändlers, geschlafen. Einzelheiten sind verwischt, Anekdoten der Erzählungen von anderen. Ein Bild sehe ich deutlich. Am 20. April nachmittags, in meiner Erinnerung scheint die Sonne, sahen wir die letzten deutschen Soldaten. Es war eine leichte Kanone mit Pferdegespann. Wir standen auf der Straße am Kanal, der damals noch ganz Papenburg durchzog, und sahen auf der anderen Seite langsam das Pferdefuhrwerk vorbeiholpern. Möglicherweise haben wir gewinkt, haben drüben andere etwas zu trinken angeboten. Für mich ist dieses Bild verbunden mit einem Gedanken, der ganz plötzlich artikulierbar wurde und dessen Deutlichkeit sich seitdem nur wenig vermindert hat. Ich dachte: Da fährt der deutsche Nationalismus, und mit dieser von Pferden gezogenen Kanone ist er für immer unwiderruflich verschwunden.

Daß mit dem letzten Soldaten Adolf Hitlers deutscher Nationalismus erledigt sei, war für mich eine frühe politische Einsicht. Der Begriff der Nation löste sich auf wie Rauch. Er ist in meiner persönlichen politischen Erfahrung seitdem nicht wieder restituierbar gewesen. Was danach kam, waren Details, die wenig zählten. Wir hatten als Einquartierung einen kanadischen Luftwaffenoffizier, der regelmäßig ein Bad wünschte, das mit Briketts angeheizt werden mußte. Die Butter, die meine Mutter im Garten vergraben hatte, haben wir laut Taschenkalender am 27. April wieder ausgegraben. Spaziergänge, Besuche. Am 18. Mai bin ich mit dem Fahrrad um acht Uhr von Papenburg nach Oldenburg und Bremen-Blumenthal gefahren, wo ich einen Bruder meines Vaters, Onkel Ottie, besucht habe. Ich blieb dort über Pfingsten (20./21. Mai). Deutlich erinnere ich nur, daß meine Tante ein Kaninchen gebraten hat. Im Taschenkalender stehen Traumnotizen, die ich jedoch nicht verifizieren kann.

Nach dem Besuch anderer Verwandter in dem Dorf Hambergen, aus dem mein Vater stammte, kam ich nach einem kurzen Zwischenfall in Bremervörde, wo eine selbsternannte Straßenkontrolle mich beim ersten Versuch nicht durchlassen wollte (auch das sind nur vage Bilder), am 24. Mai in Hamburg an, wo ich bei meinem Großvater in Lurup übernachtete. Laut Taschenkalender war ich am 25. in der Innenstadt. Weiter wörtlich: »Abds. Disput m. Gr.v. (D. Übriggebliebene) Zarathustra.« Mir ist vollkommen entfallen, was das bedeuten sollte. Anders war es mit der Rückfahrt. Da die Elbbrücken gesperrt waren, mußte ich von Blankenese nach Cranz mit dem Fährschiff übersetzen. Ich habe notiert, daß ich um 10.30 Uhr in Blankenese ankam und bis 13 Uhr warten mußte, bis ich aufs Schiff kam. Diese Notiz ist wiederum mit einem deutlichen

Bild verbunden. Um zum Anleger zu kommen, mußte ich die Treppe von der Blankeneser Hauptstraße hinabsteigen. Diese war bis zur halben Höhe mit Menschen dicht gefüllt. In der überwiegenden Zahl waren das aus Schleswig-Holstein zurückflutende ehemalige Wehrmachtsangehörige, zum Teil noch in Uniform. Zweieinhalb Stunden stand ich über und in dieser Menge. Sie verkörperte für mich die geschlagene deutsche Armee. Und obwohl hier nichts passierte und nichts Spektakuläres zu sehen und zu hören war – ununterbrochen fuhren die Fährschiffe hinüber und herüber, anlandend zum Teil mit Motorrädern voll Schwarzmarktgut –, ist mir nie wieder so deutlich geworden, was das Ende eines Kriegs bedeutet.

Gewiß haben die Inhalte der Gespräche, die ich um mich herum gehört habe, eine Rolle gespielt, mich etwas durchschauen lassen, was ich bis dahin nur an der Oberfläche oder von außen gesehen hatte, mich deprimiert, aber auch wie mit einem Ruck in eine veränderte Position geschoben. Ich kann nichts davon rekapitulieren. Aber ich habe dieses Bild der Menge von Geschlagenen und Niedergeschlagenen und den allgemeinen Eindruck des Verkehrten, des absolut verkehrt Gewordenen. Ich war mit einem Schlag Pazifist. Dies war für mich um so unverrückbarer, als ich die Anschauung, denn um die handelte es sich, nicht am Schrecklichen, an Zerstörung und Tod, von denen ich in Rußland wenig, aber im Bombenkrieg vor allem in Leipzig genug gesehen hatte, sondern am trüben Rand der Ereignisse gewann.

Am 31. Mai Notiz im Taschenkalender: »Der Traum. Schulfeier. Fertigmachen. Wie in einem Internat sein. Müller. Versammeln. Alle da. G. R. Sch. Petrick, Lürwer. D. a. G. Sch., dem die Beine wieder gew. waren, der dafür 9 Jahre blind war. Dann Umzug. Wie z. ersten Mai. Ich stand und konnte mein Weinen nicht mehr halten, da ich an die dachte, die nicht mehr waren.« Zweiter Juni: »Vorm Einschl. Erwartg. als ob etwas käme. Was?«

Man lebte noch . . .

Der Tag selbst verschwimmt in der Erinnerung an das, was sich in einer Folge von Tagen abspielte. In Norwegen »erlosch« der Kriegszustand; eine Front, an der von einer zur anderen Stunde die Waffen schwiegen, gab es da oben nicht. Seit Hitlers Abtritt mußte auch dem Begriffsstutzigsten klar sein, daß es bis zum endgültigen Schluß nur noch eine Sache von Tagen sein konnte. Noch viele Monate nach dem achten Mai verwaltete sich die riesige, in Norwegen lokalisierte Kriegsmacht praktisch autonom weiter, organisierte ihre eigene Gefangenschaft, Engländer bekam man kaum zu Gesicht.

Wie war ich nach Norwegen gekommen? Im Spätsommer 1944 hatte ich die Ausbildung zum U-Boot-Wachoffizier absolviert. Admiral von Friedeburg, der BdU, will heißen der Befehlshaber der U-Boote, hatte uns mit Handschlag und bedeutungsvollem Blick – er mußte ja wissen, wieviel Chancen man hatte, heil wieder nach Hause zu kommen – zum Leutnant befördert. Verwendungsfähige Boote hatte er keine mehr. Admiral Heye – der spätere Wehrbeauftragte – suchte sich aus unserem Haufen für seine Einmannboote die ganz Kleinen aus. Mich (1,65 Meter) fand er nicht, aber auch so erwartete mich bald ein Himmelfahrtskommando – nach dreimaligem »Absaufen«: vor Sizilien, vor Korsika und schließlich noch auf Übungsfahrt vor Pillau mit U2 –, zum Glück an Land. Strikt nach dem Alphabet, dem ich zuvor schon die Bekanntschaft mit dem östlichen und westlichen Mittelmeer verdankte, setzten sich fünf Leutnants – von Ha bis Ho – nach Oslo in Marsch: Meldung beim Personalchef des Marineoberkommandos Norwegen. Ein sympathischer Herr unterhielt sich lange mit uns und eröffnete mir dann, wozu er mich ausersehen hatte: Adjutant beim Kommandierenden Admiral Westküste in Bergen. Wenn ich mit dem Admiral von Schrader – in der ganzen Marine als »Icke« bekannt – nicht zurechtkäme oder er nicht mit mir, so müsse es nicht meine Schuld sein. Der Admiral werde sicher über meine Kommandierung verwundert sein, bisher hätten ihm nur Herren von Adel oder zumindest Admiralssöhne als Adjutanten zu Diensten gestanden. Und nun ein frischgebackener Reserveleutnant!

Es ging so lala. Bei meiner Meldung prüfte mich der Admiral auf passende Eignung. Welche Schule ich besucht hätte? »Eine Aufbauschule, Herr Admiral.« (Ich war von 1933 bis 1938 in Südamerika aufgewachsen, mehrere Jahre ohne jede Schulmöglichkeit. Beim Versuch der Wiedereinschulung paßte ich nur in eine Dresdner Aufbauschule.) »Wat'n das?« »Herr Admiral, das sind Schulen, auf denen Volksschüler noch bis zum Abitur gebracht werden können.« Nach Unverfänglichem kam »Icke« zum Schluß auf das ihn zentral beschäftigende Thema zurück. »Sajen Se mal, aus was für einem Hause kommen Sie eijentlich?« Knapp und erschöpfend bekam er Auskunft: »Herr Admiral, unten wohnt mein Onkel, oben wohnen wir.« Ich war akzeptiert, in erstauntem Wohlwollen, denn im Vorzimmer hörte ich, wie er zu meinem Vorgänger sagte: »Wissen Se M., der neue Leutnant jefällt mir. Das is doch mal was anderes. Das is doch mal einer aussem Volke.«

Aber so richtig paßten wir nicht zueinander. Immer, in der Dresdner Schulzeit und auch in der Marine, hatte es doch einen Freund, einen Lehrer oder älteren Vorgesetzten gegeben, mit dem man offen über das, was einen bedrückte, sprechen konnte. Im Stabe Ickes hieß es vorsichtig sein. Ich war so naiv, zu meinen, in der Umgebung eines Admirals, der verantwortlich war für den Schottland direkt vorgelagerten Frontabschnitt, müsse man für alle Eventualitäten, nicht nur für den »Endsieg«, Überlegungen anstellen. Natürlich kam es mir nicht zu, so weit zu denken, geschweige denn es auszudrücken. Ich spürte, daß ich vorsichtig sein mußte.

Bei einer der vormittäglichen Lagebesprechungen sagte der Admiral, am Abend werde der Gauleiter Schwede-Coburg unten in der Stadt einen Vortrag halten. Eigentlich müsse er sich da wohl blicken lassen. »Leutnant, machen Sie sich mal ein bißchen hübsch, Fangschnur und so, und gehen Sie mal hin.«

Am nächsten Morgen, am Schluß der Lage, ich hatte das Gepöbele des Mini-Goebbels schon halb vergessen, forderte der Admiral mich auf, zu berichten, was der »Herr Gauleiter« denn aus seiner Warte zur Lage zu sagen gewußt hätte. Irgendeine Sicherung muß da in mir durchgebrannt sein. Mit heller Stimme, aber doch wohl etwas aufgesetzt, referierte ich – in der Sprache des »Herrn Gauleiters«. Die Rumänen und die Finnen, das »feige Pack«, hätten sich schon abgesetzt, die Rede war auch vom »alten Schwein Mannerheim« und weiter so in diesem Stil. Mein Bericht hatte nicht den erwünschten »Durchhalte«-Effekt, die Runde wurde immer stiller. Ich machte es kurz, genauso kurz war der Dank des Admirals.

Kurz darauf wurde ich zum Chef des Stabes beordert. Der Admiral sei von meinem Bericht sehr angetan. Seit dem Fortgang meines Vorgängers sei der Posten des NSFO (Nationalsozialistischer Führungsoffizier) noch unbesetzt, der Admiral bitte mich, diese Aufgabe zusätzlich zu übernehmen. Ich bat, von dieser Beauftragung Abstand zu nehmen. »Gehen Sie auf Ihr Zimmer. Verlassen Sie es nicht. Sie sind ab sofort vom Dienst entbunden.«

Da saß ich dann etwa vierzehn Tage. Was ich gemacht hatte, war purer Schwachsinn. Mit dem sogenannten NSFO waren keinerlei Funktionen verbunden. Nur daß es ihn gab, mußte nach oben gemeldet werden. Es gab kein Verhör, niemand sprach mit mir. Schließlich, ohne jede weitere Erörterung, Abkommandierung zur 17. U-Jagd-Flottille nach Stavanger. Die »Hermann von Wissmann« nahm mich mit. Verpflegungsoffizier war ein alter Freund von mehreren Lehrgängen, der erste Pfälzer, der mir in meinem Leben begegnet war. Er half meine Sorgen zerstreuen, es wurde eine vergnügte Nacht. Wie jung waren wir.

In Stavanger skeptischer Empfang durch den Flottillenchef, natürlich war er informiert. Eine feste Verwendung gab es nicht gleich, ich sprang mal hier ein, mal da. Ein Geleitzug, und war er noch so klein, mußte von einem Offizier geführt werden. In der Nacht vom zwölften zum 13. November 1944 »befehligte«

ich also einen Geleitzug Richtung Süden, der aus einem sich UJ 1754 nennenden Fischkutter (Kommandant war ein Steuermann, also ein Unteroffizier), dem Schlepper »Fairplay VII« und einem werftreifen kleinen Dampfer bestand. Vor Egersund wurde es in der stockdunklen Nacht plötzlich taghell: Leuchtgranaten. Ein englischer Verband, zwei Kreuzer und vier Zerstörer, hatten einen großen, auf Nordkurs befindlichen Geleitzug abgefangen, und dies, obwohl der englische Verband früh geortet worden war. Es gab schwere Verluste, mit meinem Konvoi konnte ich mich aber ungeschoren nach Egersund hineinschleichen.

Die weiteren Vorgänge dieser Nacht zu erzählen wäre langweilig. Während ich in dem für den »Geleitzugführer« vorgesehenen Bett in einem kleinen Hotel in tiefem Schlafe lag – auf dem Kutter war gar keine Koje dafür vorhanden –, mußte das Boot nach einigen Stunden wieder raus, um Schiffbrüchige zu bergen. Als man mich im Hotel benachrichtigte, war das Boot schon unterwegs. Bei der Bergungsarbeit wurde es von Tieffliegern beschossen, es gab Verluste. Zu den Vorgängen der Nacht vom zwölften zum 13. November heißt es im Kriegstagebuch des Marineoberkommandos vom 19. Dezember 1944 (mein »Konvoi« kommt im Zusammenhang der Kampfhandlung überhaupt nicht vor): »Für im vorliegenden Fall eingetretene Versager habe ich kriegsgerichtliche Untersuchungen befohlen.« Einer mußte wohl ran. Erneut wurde ich des Dienstes enthoben, und nun wurde es ernst: Anklage wegen »Wehrkraftzersetzung«.

Daß ich später Jura studierte, verdanke ich nur den Erlebnissen der nächsten Monate. Offenbar hatte man im Gericht gemerkt, daß auch hier nur »Meldung nach oben« gemacht werden sollte: »Kriegsgerichtliche Untersuchungen durchgeführt.« Ein mich vom Mittelmeer her kennender Bootskommandant stellte sich als Zeuge zur Person zur Verfügung. Tenor: »Tüchtiger junger Offizier, macht sich eigene Gedanken. Wollen wir doch.« Der Ankläger wurde zum Verteidiger, er wisse gar nicht, was mir vorzuwerfen sei. Mitte März wurde

ich freigesprochen, aber der Gerichtsherr, Admiral von Schrader, bestätigte das Urteil nicht. Warum, weiß ich nicht, ich
glaube eigentlich nicht, daß er mir Böses wollte. (Im Juli 1945,
bevor ihn die Engländer aus seinem Bergener Dienstsitz abhol-
ten, erschoß er sich.) Und so schmorte das Verfahren, abgege-
ben an das übergeordnete Gericht beim Marineoberkommando
Oslo, bis zum achten Mai. Ich weiß nicht, wie es dort ausgegan-
gen wäre, ich habe mir auch nie Gedanken darüber gemacht.

Wie ich also den achten Mai erlebt habe? Welche Frage. Endlich war der Wahnsinn zu Ende, und *man lebte noch*. Immer
wieder habe ich die Erfahrung gemacht, daß mein Jahrgang
(1923) und die wenig älteren Jahrgänge meiner Generation sich
von den auch nur drei oder vier Jahre jüngeren durch eine
grundsätzlich andere Einstellung gegenüber der Zeit vor dem
achten Mai 1945 unterscheiden. Wir bedurften keiner umständ-
lichen Umerziehung. (Ich rede nicht von den viel zu vielen, die
einfach vor sich hin gelebt haben.) Die Anschauung von so viel
Borniertheit, sturer Dummheit, die hinreichende Ahnung eines
einzigartigen Verbrechertums ganz oben (kein Tag seit 1939,
an dem ich nicht versucht hätte, irgendwie einen »Feindsender«
zu hören: auch wenn man die Hälfte abzog, blieb genug zum
Überlegen), dabei Ausnützung, aber eben doch auch Praktizie-
rung bester Tugenden – ich gestehe, das Handwerk des Seeof-
fiziers zu beherrschen hat mir Spaß gemacht – war Anschauung
genug gewesen. Für das Regime, das nun am Ende war, empfand ich Ekel, den man am besten schnell vergaß. Jetzt galt der
neue Tag. Ich empfinde mich also mit bestem Gewissen als Vertreter der ach so »bornierten« Aufbaugeneration.

Einige Zeit nach dem achten Mai bezogen die Mariner, die
nicht von den Engländern, etwa zum Minenräumen, gebraucht
wurden, ein Barackenlager am Ende des Saudafjords. Russische
Zwangsarbeiter waren zuvor dort eingepfercht. Recht geschah
es uns. Es wurde dann aber doch ein ganz erträglicher Sommer.
Die Konservennahrung wurde durch Fischfang und Beerensu-
che verbessert. Wir lebten und waren jung. Wenn man nur
wüßte, wie es zu Hause aussah. Daß die geliebte Vaterstadt im

März auch noch zuschanden gehen mußte, war das einzige, was ich wußte. Mitte Juli sollten sich alle Bauern und Gärtner melden. Zu Hause gab es einen großen Garten. Am vierten August war ich zu Hause, wohl der erste Marineoffizier, der aus Norwegen rauskam.

Am nächsten Tag fuhr ich nach Göttingen und immatrikulierte mich für Jura und Geschichte. Es ging uns nicht gerade golden, jahrelang hatte ich nichts als meine Marineklamotten zum Anziehen. Dennoch – es begannen herrliche Zeiten. Wir waren *frei*. Was ließ sich daraus machen!

BURKHARD HIRSCH
Ich fühlte mich betroffen, beschmutzt, verachtet

Es war ein ganz gewöhnlicher Tag, wie ihn Heinrich Heine in »Le Grand« über den Einzug der Franzosen in Düsseldorf beschreibt. Die Sonne ging morgens auf und abends wieder unter, die Sterne fielen nicht vom Himmel, das Schild mit dem kurfürstlichen Wappen am Rathaus wurde ausgewechselt und ein Anschlag angebracht: »Der Kurfürst läßt sich bedanken.«

Natürlich war alles noch prosaischer. Ich lebte in Halle an der Saale, war noch nicht ganz fünfzehn Jahre alt, hatte nichts als das Dritte Reich in einer gutbürgerlichen Beamtenfamilie kennengelernt, in der Politik ebensowenig ein Gesprächsgegenstand war wie etwa pubertäre Probleme.

Am achten Mai waren wir schon erobert. Wir hatten die ersten amerikanischen Zigaretten gesehen, die während der wenigen Monate, bevor die Russen kamen, so etwas wie eine Goldwährung wurden. Es bestand ein Ausgehverbot ab achtzehn Uhr, und an den Wänden klebte nicht ein Abschiedsedikt des Kurfürsten oder des Gauleiters, sondern eine Bekanntmachung des Militärgouverneurs, daß der Besitz von Waffen mit dem Tode bestraft würde.

Wir stellten uns an nach Maisbrot. Das Trinkwasser kam wieder aus der Leitung und mußte nicht mehr mit Eimern von einem Tankwagen abgeholt werden. Man brauchte merkwürdigerweise die Fenster nicht mehr zu verdunkeln, die Schule war geschlossen. Man brauchte auch nicht mehr mittwochs nachmittags und jeden zweiten Sonntag im Fähnlein 27, Jungstamm IV, Gau Mitte, auf dem Friedrichsplatz anzutreten. Ich versuchte zu begreifen, was eigentlich passiert war. Die erste Ahnung, daß der Krieg verloren werden könnte, hatte mich jäh bei den Nachrichten vom 20. Juli 1944 überkommen.

Der Anschlag auf den »Führer« war die erste Erschütterung meines Weltbildes. Ich malte mir aus, wie der Feind uns immer weiter einzingeln würde, bis der letzte Mann gefallen wäre, wie General Custer unter den Horden Sitting Bulls. Halle war bis dahin von Luftangriffen weitgehend verschont geblieben. Man gewöhnte sich an die ständigen Alarme, später auch an das Rauschen der Bomben und an das hohle platzende Geräusch der Flak in der merkwürdigen Gewißheit, daß es einen in den eigenen vier Wänden nicht treffen könne. Und dann ging es sehr schnell:

Mein Vater, ein friedlicher Mann, lief plötzlich als Führer einer Volkssturmeinheit in Stiefeln herum. Wir übten an der Panzerfaust, und dann flutete die deutsche Front in vollem Rückzug durch Halle hindurch in verwegen zusammengestellten Uniformen, in unterschiedlichsten Fahrzeugen vom Panzer bis zum Fahrrad, in größter Eile und als ein Schauspiel von zwei Stunden, in denen wir Zivilisten die Straßen säumten und ich mir den Kopf zerbrach, warum die einen, die an uns vorbeifuhren, Soldaten waren, die kämpfen mußten, und wir anderen, um die es doch auch ging, waren die Zuschauer.

Als der Zug vorbei war, fuhr ich mit dem Fahrrad nach Trotha, weil ich gehört hatte, daß dort in einem Militärdepot riesige Mengen von Zucker, Fleischbüchsen, Lebensmitteln und Zigaretten lagern sollten.

Ich traf dort eine große Menschenmenge. Vor einzelnen Lagerhäusern stand ein Soldat mit dem Gewehr im Anschlag, um sein Lager zu schützen, das wenige Stunden später in Flammen aufging. Ich ergatterte in einem Eisenbahnwaggon eine Aktentasche voll Rohzucker. Auf dem Rückweg schlug eine Granate in ein Haus, an dem ich gerade vorbeigefahren war, ohne daß mich das besonders berührte.

Trotz der – wie ich später erfuhr – Intervention des Grafen Luckner kämpfte an einem am Rande der Innenstadt liegenden Platz noch eine Handvoll deutscher Soldaten.

Einer meiner Klassenkameraden wurde von einem Splitter erwischt. Ich kann nicht vergessen, wie er auf einer Bahre tot an mir vorbeigetragen wurde, mit herunterhängendem Arm.

Der jähe Wandel vom Leben zum Tod war unbegreiflich, sinnlos.

Dann kamen die Amerikaner. Panzer, Jeeps mit aufgebauten Maschinengewehren, eine disziplinierte und gutausgerüstete Truppe.

Der Volkssturm war nicht in Tätigkeit getreten. Die Soldaten entpuppten sich als Menschen. Mein Vater, ein Zivilrichter, wurde verhaftet. Auch mein Bruder und ich lernten für einen Tag durch die Phantasie eines deutschen Angebers eine Polizeizelle von innen kennen – dann war das Dritte Reich vorbei. Wir verbrannten »Mein Kampf«; der »Mythus des 20. Jahrhunderts« und der »Untergang des Abendlandes« blieben erhalten, und ich begann zu begreifen.

Bald danach tauchte der erste befreite KZ-Häftling auf, ein Heimkehrer berichtete von Judenmassakern hinter der Ostfront. Von einem Augenzeugen berichtet, mußte es die Wahrheit sein. Ich fühlte mich betroffen, beschmutzt, verachtet.

HANS EGON HOLTHUSEN
Victory Day – ohne weitere Bemerkung

Schwer zu sagen, wie ich diesen Tag erlebt habe und wo und in welcher Situation ich mich damals befand. Auf einem bräunlichgrauen Blatt Papier, das mit Bleistiftnotizen aus jenen ersten Maitagen bedeckt ist, sehe ich oben links eine größere Leerstelle, darin das Datum achter Mai und die Worte »Victory Day« ohne weitere Bemerkung (Im Westen nichts Neues). Gleich darunter beginnt ein massives Stück Text vom »sechsten Mai abends« mit den Worten: »Erstes langes Gespräch mit G. Sie liegt im Prinzessinnennachthemd im Bett. ›Es ist der erste mögliche Moment.‹ Spricht von der starken Aversion gegen mich . . .« Aufgezeichnet in einem geräumigen Atelier, Teil einer hochgelegenen Wohnung im nordwestlichen Schwabing. Das schräge, riesige Nordfenster mit Brettern vernagelt, gleich nebenan ist ein paar Monate zuvor eine Luftmine in den Keller durchgeschlagen und hat etwa zwanzig Menschen umgebracht.

Dies Atelier war seit Ende November 1944 mein Quartier gewesen. Ich war nach beinahe fünfeinhalb Jahren Draußensein wider alle militärische Wahrscheinlichkeit von einer im östlichen Ungarn liegenden (nach der sowjetischen Rumänienoffensive so gut wie total zertrümmerten) Nachrichteneinheit als Unteroffizier zur Münchner Dolmetscherkompanie VII versetzt worden, und – cherchez la femme! – G. hatte dabei ihre Hand im Spiele gehabt. Mein letztes Kommando war Steinburg gewesen, ein Schloß am südlichen Rande des Bayerischen Waldes, rund ein Dutzend Kilometer nordöstlich von Straubing an der Donau, das als Erholungsgefangenenlager für englische Offiziere gedient hatte. Unsere Gefangenen waren in großartiger Verfassung, glänzend ernährt (Rotkreuzpakete), sehr diszipliniert, in denkbar bester Stimmung und uns, ihren Bewachern, besser Begleitern gegenüber höchst liebenswürdig.

Wir unsererseits hatten für den Fall der Fälle – SS ante portas! – Fluchtmöglichkeiten für sie vorbereitet, und als wir dann selber gehen mußten – die Übergabe an die Amerikaner war am 25. April vormittags telefonisch erledigt worden –, beschenkten sie uns mit Hunderten von Zigaretten, Marke Navycut, und schickten uns mit den besten Segenswünschen in die Wälder. Nachts dann zu zweit bei gleißendem Vollmond zwischen Bogen und Deggendorf auf einer Fähre über die Donau und auf Schleichwegen durch die Linien der SS.

Der Entschluß, sich in Richtung München abzusetzen, um der Gefangenschaft zu entgehen, war alles andere als selbstverständlich gewesen. Es waren nicht viel mehr als 150 Kilometer zurückzulegen, aber die Zeit war aus den Fugen und Niederbayern ein meist flaches, fast waldloses Gelände. Eine einzige falsche Bewegung konnte die Katastrophe sein. Tausende von »Deserteuren« in den Scheunen, die Standgerichte auf der Lauer, alle Isarbrücken »geladen«, und an allen Kreuzungen, Ortseingängen usw. standen die »Kettenhunde« von der Feldgendarmerie und verpesteten die Luft. Dabei zahlreiche Fahrzeuge mit echten und gefälschten Marschbefehlen in Richtung München und »Alpenfestung« unterwegs. Tiefflieger? Aber gewiß doch und nicht zu knapp!

Wir schafften es also in drei Nächten, die Navycut-Packungen im Brotbeutel halfen uns weiter, schließlich ein Lastwagen der Luftwaffe, der uns hinter Moosburg aufnahm und bis Freising brachte. Dort – laut Tagebuch – »ein unverständlich langer Aufenthalt und ein unheimlicher Trubel in der Atmosphäre (die Aktion Gerngroß ist angelaufen, wir wissen nichts davon)«. Wir hatten uns hinter irgendwelchen Ladegütern versteckt, und unsere Soldbücher wurden nicht kontrolliert. Hätten sie uns aber gefunden, was dann? Hauptmann Gerngroß war unser Chef, und nun hatten sie also tatsächlich losgeschlagen, er und alles, was von der »Dolko« in München war, hatten zusammen mit Leuten eines Münchner Infanteriebataillons und einer Panzeraufklärungsabteilung das Generalkommando in Starnberg besetzt, den Reichsstatthalter Ritter von Epp festgenommen, hatten die Rundfunksender Erding und Freimann in ihre Gewalt gebracht, und seit vier Uhr früh waren sie nun damit beschäftigt, ihre vorbereiteten antinazistischen Aufrufe in deutscher, englischer, französischer und russischer Sprache in die Mikrofone zu sprechen. Kennwort »Fasanenjagd«. Samstag, den 28. April.

Sechs Uhr früh: Wir sind in München, die Straßenbahn fährt, seit Tagen keine Luftangriffe mehr. »Eine Frau mit fliegender Blässe und taumelnd vor Glück erzählt, München habe durch

Epp kapituliert, der Friede sei da.« Dann die eigene Wohnung, es ist gegen 6.45 Uhr, und ich sehe mit einem Blick, daß es nicht mehr »unsere« Wohnung ist. Zwei Männer sind da, »im Speisezimmer die Spuren eines Sekt- und Schnapsgelages, üble verbrauchte Luft, kalter Zigarettenrauch, gebrauchte Gläser, leere Flaschen, Asche«. Das Radio wird eingeschaltet, wir hören die Stimmen der Freunde, G. sitzt im Bett, von Schluchzen geschüttelt. Jemand bereitet ein grandioses Frühstück. Monk und Herby, unsere beiden Gäste, haben mit einem organisierten Personenwagen voller Lebensmittel, Kaffee, Cognac, Wein usw. ihre Einheit verlassen, sind seit acht Tagen im Haus.

Inzwischen hat der Kampf um die Radiostationen begonnen. Es ist den Nazis gelungen, den Luftschutzsender, genannt »Laibacher Sender«, wieder in die Hand zu bekommen und die Bevölkerung durch Ingangsetzen der Luftschutzsirene auf ihre elenden allerletzten Proklamationen aufmerksam zu machen: Eine Bande von ehrlosen Lumpen, angeführt von einem Subjekt namens Gernegroß, »ausgerechnet Gerne-groß«, sei in einem entscheidenden Augenblick des großdeutschen Schicksalskampfes dem Führer in den Rücken gefallen.

Gegen Mittag ist es klar, daß die Aktion als militärisch gescheitert, wenn auch moralisch erfolgreich gelten muß. Die Wohnung wird zur Anlaufstelle für Versprengte und nach dem Einmarsch der Amerikaner zum Hauptquartier der »Freiheitsaktion Bayern«. Die »Fasanenjagd« hat an die dreißig Todesopfer gekostet, darunter elf Männer aus der Bergarbeiterstadt Penzberg im oberbayerischen Kreise Weilheim, die auf Befehl einer Nazikanaille namens Zöberlein (Verfasser des Buches »Glaube an Deutschland«), Führer einer Mörderbande namens »Freikorps Adolf Hitler«, öffentlich gehängt worden sind.

Monk war ein Mann aus ihrer Vergangenheit, ein Präzedenzfall seiner selbst sozusagen, der nun auf einmal wieder in Führung gegangen war, Herby ein Amerikaner in der Nebenrolle der lustigen Person, eine Art Leporello, der Himmel mochte wissen, wieso der als Flaksoldat in die Großdeutsche Wehrmacht hineingeraten war. Monk und ich sind später, als er mit

G. wieder fest verbunden, aber noch nicht verheiratet war, so etwas wie Freunde geworden; damals aber war er ein Zerstörer für mich, er war der Krieg in seiner allerletzten und für mich ärgerlichsten Gestalt, der Krieg als Marodeur, das Prinzip »Habebald und Eilebeute« (aus dem Faust, zweiter Teil). Später habe ich begriffen, was an ihm dran war und daß er es »wert« war, dieses herrliche Geschöpf, diesen Stupor mundi von einem Frauenzimmer, für sich zu gewinnen. Auch habe ich schon damals, während ich wie ein Gefangener in meinem Atelier saß – die Tür zu ihrem Zimmer war verschlossen, während es drüben nur so rauschte von Leben: Lachen und Trinken, Braten und Brutzeln, alle Türen sonst immer offen oder angelehnt –, schon damals habe ich geahnt, warum ich sie und warum gerade zu diesem Zeitpunkt verlieren mußte. Mein Versagen, meine Nichtswürdigkeit lag in dem, was ich damals meine »Dialektik« nannte, es war das letztlich Nicht-ernst-machen-Können, es war ein zäher, nicht auszutreibender Rest von »unsicherer Kantonist«, der freilich in G. eine Entsprechung hatte.

Da stand ich nun also, die Hände in die Hosentaschen gerammt, starrte auf das vernagelte Fenster und verachtete und beschimpfte mich selbst: du Nichtsnutz und Habenichts, du elender Schmarotzer, billiger Melancholiker und leerlaufender Troubadour . . .

Das also war es, was mich an diesem Siegesfeiertag der Alliierten beschäftigte. »Aber du warst mein *Leben* – fünf Jahre lang«, sagte G. unter Tränen, und die Tür schien sich wieder ein wenig geöffnet zu haben. Jahrzehnte sind seitdem vergangen, Monk und G. sind beide tot, und beider Ende war von Schrecknissen umwittert, und das hatte mit jener »Krise« von damals nichts, aber auch gar nichts zu tun. Trotzdem dämmert es von Zusammenhängen. Zu denken, es hätte da eine allerhöchste Regie gegeben, eine menschenfeindliche eiserne Moira, und das Spiel, das mit uns getrieben wurde, hieße »russisches Roulett«! Schauerliche Idee.

»Unsere endgültigen Entschlüsse fassen wir immer aufgrund eines Geisteszustandes, dem nicht bestimmt ist, zu dauern.«

Ein Satz von Proust, den ich früher gern zitiert habe. Wir haben uns damals, glaube ich, redlich miteinander gequält, G. und ich: tagelang Zaudern, Grübeln, Weinen und Gewissensnot. Aber dann half mir der Gedanke an die Flucht aus dem Bayerischen Wald, und der »Übergang über die Donau« wurde zum Modell für meine Entscheidung. Es mußte eben einfach »gehandelt« werden, und es würde eine Befreiung für alle sein. Zwei Tage nach Victory Day, am Abend des Himmelfahrtstages, stand ich mit meinem Koffer auf der Straße, sterbenselend und vollkommen erschöpft. Bis zur Sperrstunde (Curfew) um sieben Uhr waren es noch dreißig Minuten.

HANS-GÜNTER HOPPE
Das zweite Leben

Da war nichts mehr, kein großes Gefühl, weder erhebend noch niederziehend, auch nicht zerrissen. Der achte Mai 1945 war alles andere als unvergeßlich: ein Tag unter vielen, die angefüllt waren mit Menschenmassen, erschöpften, seltsam konturlosen Gestalten, zusammengedrängt zu Tausenden, vielleicht auch Zehntausenden, ich weiß es nicht. So viel aber wußte ich: Ich habe ihn überlebt, den mörderischen Krieg und den kriegerischen Mörder. Mein zweites Leben hatte begonnen.

Zehn Jahre war ich alt, als Hitler kam; zweiundzwanzig war ich, als alles zertrümmert und verbrannt war. Er auch. Ich aber lebte. Tatsächlich, kein Empfinden, kein Gedanke, kein Verlangen hatten sich in mir so eingebrannt wie dieses Überlebenwollen – und die Freude über das Überlebenkönnen. Der Stichtag, von dem an sie wachsen konnte – sehr zögernd zunächst, der veränderten Wirklichkeit kaum mehr trauend als der durchlebten Gewalt – das war nicht der Tag der offiziellen und bedingungslosen Kapitulation. Hier handelte es sich nur noch um die Beurkundung eines Ereignisses, das ich längst schon, wie ungezählte andere auch, für mich vollzogen hatte.

Der Vollzug hatte knapp drei Wochen zuvor stattgefunden, am 20. April; kein herkömmliches Datum, wie uns all die Jahre eingebleut worden war, sondern »Führers Geburtstag«. Diesmal war es mein Geburtstag: Auf einer Wiese bei Schwerte überschritt ich die Grenze zwischen Krieg und rettender Gefangenschaft.

Die Amerikaner hatten nicht mich, den Unteroffizier, der ein knappes halbes Jahr vorher mit einem Verwundetentransport dem Kurlandkessel entkommen war und nun die Auflösung des Ruhrkessels erlebte, vielmehr: Ich hatte die Amerikaner. Wenn es damals überhaupt so etwas wie eine Überlebensgarantie gab, dann bei ihnen. Weiter reichten die Hoffnungen nicht – nur lebend über diese verschwimmende Grenze zwischen heillosem Chaos und ungewissem Neubeginn kommen.

Neubeginn? Der Begriff ist zu bombastisch für das ungestaltete Fortleben. Ich war nach Remagen geschafft worden, auf scheinbar ewig schlammigem Grund. Der Rhein, dieser angebliche Schicksalsstrom, mußte in der Nähe vorbeiziehen. Auch die Brücke, die später in legendären Ruf kam, konnte nicht weit sein. Daß hier am siebten März die Amerikaner zum erstenmal den Rhein überqueren konnten, das war Teil des Informationsstandes eines Nachrichtensoldaten. Aber genaugenommen wird auch dieses Wort der Realität nicht gerecht. Ich hatte keinen Informationsstand, sondern ein bizarres Durcheinander von Nachrichten, Gerüchten und Gefühlen in mir, und das eine verfärbte das andere.

Der Anfang war anders gewesen, eindeutiger für den Pennäler aus Stettin, der an Stelle des Schulereignisses, das als Prüfung auf die Reife gilt, die Prüfung auf seinen Patriotismus suchte: Das war 1940, und ich war siebzehn. Die Welt war eingeteilt in Gut und Böse. Keine Frage, auf welcher Seite ich stand und für welche Sache ich streiten wollte.

Viele Jahre später erst würde ich auf eine bemerkenswerte Niederschrift Dietrich Bonhoeffers stoßen, die er an der Wende zum Jahre 1943 verfaßt hatte. »Dummheit«, so notierte er wenige Monate vor seiner Verhaftung, scheine »vielleicht weniger ein psychologisches als ein soziologisches Problem zu sein. Sie ist eine besondere Form der Einwirkung geschichtlicher Umstände auf den Menschen . . . Bei genauerem Zusehen zeigt sich, daß jede starke äußere Machtentfaltung, sei sie politischer oder religiöser Art, einen großen Teil der Menschen mit Dummheit schlägt.«

Der Nebel dieser Dummheit hatte sich längst gelichtet. Ich mußte nicht erst auf der nassen Erde von Remagen hocken, um zu begreifen. Die Ernüchterung hatte sich eine gute Weile vorher eingenistet und allmählich ausgebreitet in dem bis dahin so begeisterungsbereiten Gemüt. Es nahm nun immer deutlicher den Abgrund wahr, den Abgrund rücksichtsloser Verstiegenheit und den Abgrund heraufziehenden Untergangs. Die Kapitulation der sechsten Armee in Stalingrad Anfang 1943 wurde zur Wendemarke auch im Bewußtsein, die Tat von Graf Stauffenberg am 20. Juli 1944 gab ihm Klarheit und Richtung.

Doch da ist nichts zu stilisieren und zu überhöhen. Ich war orientierungslos mit einem diffusen Streben nach besseren Zeiten, das sich zwangsläufig in Überlegungen und Übungen zum tagtäglichen Überleben erschöpfte.

Dieser Zwang war in der Gefangenschaft nicht geschwunden, aber er füllte mich nicht mehr aus. Die Tage im Schlamm bei minimaler Verpflegung, die Nächte im Viermannzelt, in das sich acht Männer stapelten – sie beseitigten nicht die existentielle Not, aber die existentielle Angst. Die amerikanischen Bewacher schlenderten vorbei wie auf einem Sonntagsspaziergang, ohne Siegerpose, selbst das Wegschnippen süchtig begehrter Zigarettenkippen geschah eher spielerisch als demütigend.

Zukunftsbilder konnten sich wieder entfalten. Sie gruppierten sich um das Naheliegende und doch so Ferne, um die Familie in Vorpommern. Daß ich ein Jahr später nach meinem heimlichen Aufbruch – dann aus französischer Gefangenschaft in Koblenz – nach Demmin weder Schwester noch Mutter wiedersehen würde, weil sie den Vormarsch der Roten Armee nicht überlebt hatten, wollte sich meine Phantasie nicht ausmalen. Ich hatte ein Ziel, und dieses Ziel versprach trügerisch einen Anfang im vertrauten Kreis.

Das war der Stand der Dinge auf den Rheinwiesen bei Remagen im Mai 1945. Die Erschütterung, die mich im Jahr darauf traf bei der Entdeckung der Wahrheit, ging an die Wurzel. Ich mußte akzeptieren, daß der Wahnsinn des Krieges, von Hitler entfesselt, bis zum Schluß auf seiner verbrecherischen Logik beharrte.

Er hat mich verändert. Gewalt widert mich an, erst recht die politisch motivierte, unter welchem Banner auch immer. Mörderische Dummheit nährt sich aus Vorurteil und Verhetzung. Politik nach dem Inferno des Zweiten Weltkrieges muß deshalb vor allem dies leisten: immer wieder Aufklärung und Verständigung, Verständigung über das Wirkliche.

HEINZ WERNER HÜBNER
Die Bäume der Armut

Ich weiß nicht mehr, was für ein Wochentag der achte Mai 1945 war; ich weiß nur, daß die Deutsche Wehrmacht in Nordwestdeutschland, in Dänemark und in Norwegen schon drei Tage vorher kapituliert hatte. Vermutlich auch bedingungslos. Am fünften Mai also wurde ich in Rendsburg Führer einer »Genesendenkompanie«, so hieß das damals. Es waren Verwundete aus allen Truppenteilen, also aus Heer, Marine und Luftwaffe, die schon wieder laufen konnten und die ich nun auf Befehl eines englischen Offiziers in das Auffanglager nach Neumünster überführen sollte. Ich habe diesen Auftrag nur zur Hälfte erfüllt. In Nortorf, auf dem halben Wege zwischen Rendsburg und Neumünster, übergab ich die Kompanie einem Feldwebel, und als Genesender mit einem Steckschuß im Bein, die Wunde eiterte, lief ich auf Nebenwegen nach Süden.

Nicht die englischen Truppen waren die Gefahr, sondern die aus den Arbeitslagern befreiten russischen und polnischen Kriegsgefangenen, die – zum Teil marodierend – durch die

Dörfer Schleswig-Holsteins zogen. Betrunken viele. Ehemalige französische Kriegsgefangene versuchten, oft nicht ohne Erfolg, die Ordnung aufrechtzuerhalten. Ich strebte zurück in mein Lazarett, ein Schulhaus in einem Dorf nahe Hamburg, das ich am 23. April verlassen hatte. In Schleswig und Rendsburg hoffte ich, als die Engländer bei Lauenburg an der Elbe standen und man nachts das Donnern der Geschütze hörte, Kameraden meiner Artillerieabteilung zu treffen, die möglicherweise ebenso wie ich Ende März verwundet aus Ostpreußen – mit Schiffen über die Ostsee – herausgekommen waren.

Aber ich traf keinen. Die überlebt hatten, kamen erst zehn Jahre später aus russischer Kriegsgefangenschaft zurück. Das Dorf, dem ich zustrebte, war von Rendsburg 104 Kilometer entfernt. So exakt wußte ich das damals nicht, als ich es, auf Feldwegen humpelnd, zu erreichen versuchte. Neun Jahre später bin ich denselben Weg mit einem VW gefahren; der Tachometer zeigte 103,6 Kilometer. In dem Dorf wohnte eine Tante von mir und im Haus daneben ein Mädchen, mit dem ich schon im Sandkasten gespielt hatte. Soweit die Vorgeschichte.

Der achte Mai. Vom Lazarett im Schulhaus, in das ich 24 Stunden zuvor vom Oberarzt wieder aufgenommen worden war, bis zum Haus meiner Tante waren es dreihundert Meter. Die mächtigen Linden, die die schmale Straße säumten, filterten das Sonnenlicht in helles Grün. Selbst die Schatten waren Licht. Ein Morgen aus blauem und grünem Glas.

Mein Onkel war Soldat und vermißt. Meine Tante weinte, wenn man sie ansprach, sie weinte, wenn sie einen englischen Soldaten sah, wenn Nachbarn sie trösten wollten, und sie weinte, wenn Tasso, der Hund, bellte, denn früher hatte er nur gebellt, wenn mein Onkel aus dem Büro nach Hause kam. Sagte meine Tante.

Hinter dem Haus gab es einen großen Garten mit alten Obstbäumen, mit einer sich an Staketen rankenden Brombeerhecke. Unter den schwarzen Blättern des letzten Herbstes leuchteten weiß die aufbrechenden Triebe. Zartes Laub von Jasmin und eine Weißdornhecke. Die Kirschbäume blühten. Irgendwann, es muß gegen Mittag gewesen sein, kamen die Nachbarinnen und sagten, der Krieg sei nun überall zu Ende. Sie hätten es im Radio gehört. An Japan dachte niemand. Das war weit weg. Meine Tante weinte.

Ich saß im Garten auf einer Bank und vor einem Tisch, die mein vermißter Onkel gezimmert hatte. Der Hund wärmte mir die Füße. Die Frau eines Lehrers weinte auch. »Endlich nicht mehr verdunkeln«, sagte sie. Eine andere meinte, daß wir nun alle Englisch lernen müßten. Und eine dritte erinnerte an den Führer, der das alles so sicherlich nicht gewollt habe. Keiner widersprach.

Später kam ein Kamerad aus dem Lazarett. Wir sahen uns an und zuckten mit den Schultern. Zu Hause war er in Schlesien. Frau und eine dreijährige Tochter. Der letzte Brief der Frau war vom Dezember. »Ich bin sicher, daß sie leben«, sagte er. »Ihr Bruder lebt in Thüringen.« Mit meinen Eltern in Berlin hatte ich zuletzt Weihnachten aus Ostpreußen telefoniert. Die Sowjetarmee war nur zwei Kilometer entfernt.

Meine Tante legte eine Leinendecke auf den Gartentisch, eine Nachbarsfrau brachte Tassen; es roch nach Bohnenkaffee. Gehortet, aufgespart für einen solchen Tag, sagte eine. Wir alle saßen um den Tisch, aßen Schoka-Kola aus Blechschachteln und redeten, ich weiß nicht, worüber. Dann kam Thesi in einem weißen Kleid, das Mädchen, mit dem ich im Sandkasten gesessen hatte. Sie lachte. Ich weiß nicht, weshalb sie lachte, aber ich habe ihr Lachen bis heute nicht vergessen. Es wurde kühl. Thesi ging als letzte. Sie küßte mich und flog davon.

Der Krieg ist zu Ende. Viereinhalb Jahre Soldat. Gewonnene Zeit, verlorene Zeit? – Was ist am Tage danach? – Ob ich an die Zukunft dachte? – Ich weiß es nicht. Mir wurde nur bewußt, daß ich nicht mehr auf das Geräusch pfeifender Granaten, singender Bomben, belfernder Maschinengewehre zu achten haben würde. Und in Erdlöchern würde ich auch nicht mehr schlafen und wachen müssen. Die eiternde Wunde im Bein, der Steckschuß – das würde heilen wie die anderen Verwundungen in den Jahren davor.

Wann immer es mir möglich war, hatte ich vom Oktober 1940 an Tagebuch geführt. Armselige Notizen oft. Viele gingen verloren. Am achten Mai 1945 schrieb ich ein Gedicht. »Die Bäume der Armut.« Ich dachte zurück an die Jahre in Rußland, an die Birken am Wege.

KARL IBACH

Tag der Befreiung

Den achten Mai 1945 erlebte ich als deutscher Kriegsgefangener (Wojna plenni) in dem sowjetischen Kriegsgefangenenlager Mariupol am Asowschen Meer (Ukraine). Wie kam ich – als Nazigegner der ersten Stunde – in sowjetische Kriegsgefangenschaft? Ein merkwürdiges Schicksal – zuerst unter Hitler hinter Stacheldraht, nun unter Stalin hinter Stacheldraht. Einige Vorbemerkungen sind wohl unerläßlich.

Schon dem Aufkommen des Nationalsozialismus hatte ich mich kämpferisch widersetzt. Das beglichen die Nazis, als sie an die Macht gekommen waren, indem sie mich 1933 in politische Schutzhaft nahmen und in eines der ersten – damals sogenannten »wilden« – Konzentrationslager verschleppten. Dort war ich mit achtzehn Jahren der jüngste Schutzhäftling.

Nach einiger Zeit wegen meiner Jugend entlassen, nahm ich den Kampf gegen das nationalsozialistische Unrechtsregime wieder auf und schloß mich einer aktiven Widerstandsgruppe an. Im Feuer der Gestapo-Verfolgungen wurde ich 1936 erneut verhaftet und wegen »Vorbereitung zum Hochverrat« – so hieß das damals – zu acht Jahren Strafhaft verurteilt. Obwohl dadurch »wehrunwürdig«, kam ich 1943 – kurz vor Beendigung meiner Haftzeit – direkt aus der Haft zu der bekannten und berüchtigten Bewährungseinheit 999 (Ausbildungslager Heuberg in Baden).

Der Einsatz mit dem VII. Bataillon/999 erfolgte 1944 in Griechenland. Wir kamen damit in den Strudel des Zusammenbruchs der Südostbalkanfront und zuerst in bulgarische und